요괴를
빌려
드립니다

옮긴이 이규원

한국외국어대학교에서 일본어를 전공했다. 문학, 인문, 역사, 과학 등 여러 분야의 책을 기획하고 번역했으며 현재 전문 번역가로 활동중이다. 옮긴 책으로 미야베 미유키의 『이유』, 『얼간이』, 『하루살이』, 『미인』, 『진상』, 『피리술사』, 『괴수전』, 『신이 없는 달』, 덴도 아라타의 『가족 사냥』, 다치바나 다카시의 『천황과 도쿄대』, 쓰네카와 고타로의 『야시』, 『천둥의 계절』, 사토 다카코의 『한순간 바람이 되어라』, 『슬로모션』, 슈카와 미나토의 『도시전설 세피아』, 『새빨간 사랑』, 마쓰모토 세이초의 『마쓰모토 세이초 걸작 단편 컬렉션』, 『10만 분의 1의 우연』, 『범죄자의 탄생』, 『현란한 유리』, 우부카타 도우의 『천지명찰』, 구마가이 다쓰야의 『어느 포수 이야기』, 모리 히로시의 『작가의 수지』, 하세 사토시의 『당신을 위한 소설』, 가지야마 도시유키의 『고서 수집가의 기이한 책 이야기』, 도바시 아키히로의 『굴하지 말고 달려라』 등이 있다.

TSUKUMOGAMI KASHIMASU

©Megumi HATAKENAKA 2007
First published in Japan in 2007 by KADOKAWA CORPORATION, Tokyo.
Korean translation rights arranged with KADOKAWA CORPORATION, Tokyo through JM
Contents Agency Co.

이 책의 한국어판 저작권은 JM 콘텐츠 에이전시를 통해
Megumi HATAKENAKA와의 독점계약으로 도서출판 북스피어에 있습니다.
저작권법에 의해 한국 내에서 보호를 받는 저작물이므로 무단전재와 무단복제를 금합니다.

＊이 도서의 국립중앙도서관 출판예정도서목록(CIP)은 서지정보유통지원시스템 홈페이지
(http://seoji.nl.go.kr)와 국가자료공동목록시스템(http://www.nl.go.kr/kolisnet)에서 이
용하실 수 있습니다. (CIP제어번호 : CIP2018025097)

요괴 대여점 시리즈 1

요괴를 빌려 드립니다

하타케나카 메구미
이규원 옮김

북스피어

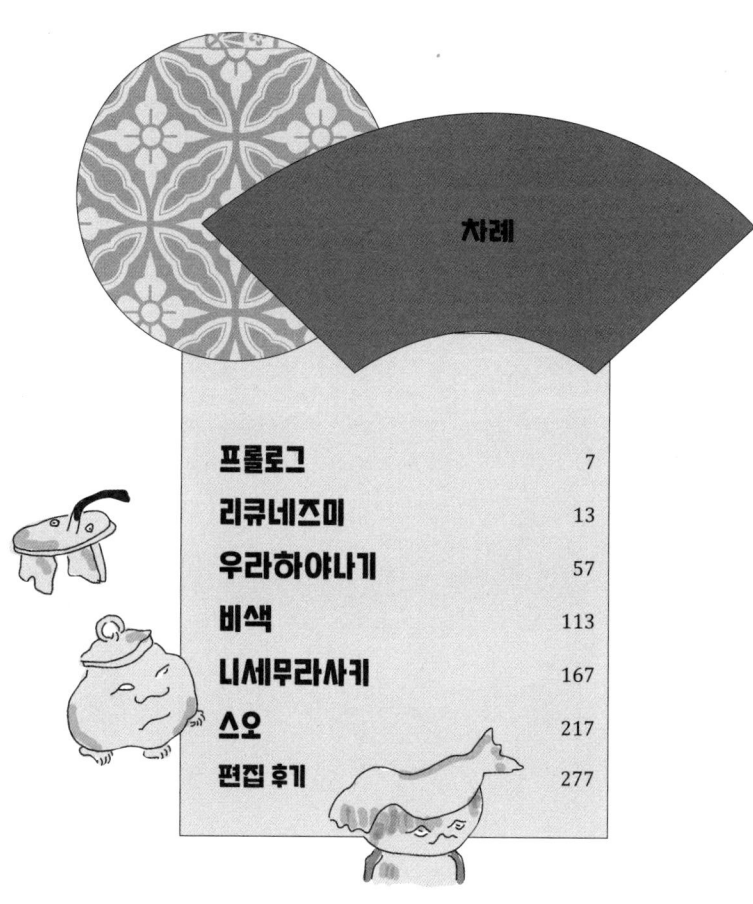

차례

프롤로그   7

리큐네즈미   13

우라하야나기   57

비색   113

니세무라사키   167

스오   217

편집 후기   277

일러두기
본문의 모든 주는 옮긴이 주입니다.

프롤로그

어이, 거기. 그래, 당신 말이야.

어딜 돌아보누. 그래, 아무리 둘러봐도 나를 볼 수 없을 거야. 지금은 보자기에 싸인 작은 짐이 되어 인간의 등에 묶여 있으니까. 그러니보이지 않을 수밖에.

응? 작은 짐이라니, 뭘 말하는 거냐고? 내 정체를 묻는 건가? 내 이름은 노테쓰. 케케묵은 박쥐 모양 네쓰케에도 시대 남자들이 차고 다니던 주머니의 끈 장식지. 아주 훌륭한 물건이라, 소유한 분들이 오랫동안 애지중지해

왔어. 덕분에 될 수 있었던 거야.

'부상신付喪神' 말이야.

가재 집기 중에는 백 년을 묵으면 부상신이 되는 게 있어. 한낱 가재 집기였던 물건이 엄청 출세하는 거지.

요괴가 되어 힘이 생기는 거야. 말을 할 줄 알게 되고 인간이 하는 말도 알아듣게 돼. 당연하지, 요괴가 되었으니까.

하지만 나처럼 대단한 명품에게도 뜻대로 안 되는 일은 있어. 주인이 애지중지하는 물건은 값이 비싸니 창고 같은 곳에 꽁꽁 넣어만 두기 십상이거든. 허구한 날을 캄캄한 오동나무 상자 속에서 지내는 거야. 이렇게 세월을 보내는 데는 어느새 질리고 말았지.

예전 주인이 형편이 쪼들려 나를 팔아 치울 때는 차라리 반갑더라고. 새로 팔려간 곳은 강 건너 후카가와였어. 작은 중고품점 겸 대여점인 이즈모야라는 가게였지.

그걸 알고는 얼마나 설레던지. 왜 안 그렇겠어. 대여점이라면 각종 집기를 빌려주는 가게잖아. 덕분에 나도 오동나무 상자를 벗어나 이집 저 집에 임대되었지.

처음에는 망가지기라도 하면 큰일이다 싶어서 잔뜩 겁을 먹었어. 하지만 익숙해지니까 이 집 저 집에 다니는 게 정말 재미있다는 걸 알게 되었지.

빌려간 집에서 흥미로운 이야기를 들을 수 있거든. 이즈모야로 반납되면 내가 주워들은 이야기를 동료 부상신들에게 들려줄 수 있지. 이게 낙이 되었어.

이봐, 거기. 그래 당신. 내 목소리를 듣고 있는 당신 말이야.

말을 할 줄 아는 고물 부상신들을 빌려 보고 싶지 않아?

나나 동료를 손에 들고 살펴보고 싶지 않냐고.

마음이 있으면 집 근처 가게가 아니라 꼭 이즈모야를 찾아가. 우리
는 그 가게에 있으니까.

다른 곳에도 부상신이 있겠지만 그런 중고품을 빌려 주는 가게라고
는 이즈모야밖에 모르거든, 현재로서는.

이즈모야는 오코와 세이지라는 오누이가 후카가와에서 꾸리는 중
고품점 겸 대여점이야. 중고품을 취급하니까 가게에 들어온 물건 가운
데 몇몇은 팔려 나가기도 하지만, 오코와 세이지는 지금까지 부상신인
내 동료들을 하나도 팔지 않았어. 두 사람 모두 젊어서 아무래도 믿음
직스럽진 못하지만 그런 점은 훌륭하다고 생각해.

평소 우리 부상신들도 오누이의 영업을 위해 기꺼이 이 집 저 집에
임대돼 주고 있지. 부상신들은 은혜를 아는 배려심 좋은 자들이거든.

물론 이즈모야는 대여점이니까 우리 부상신들이 임대돼 주지 않으
면 가게가 망하겠지. 그러면 모처럼 모인 동료들이 다시 뿔뿔이 흩어
지고 말아. 곤란한 일이지.

그러니까 당신도 우리를 좀 빌려 보라고.

과자와 차를 내주고 방 안을 조용하게 해 주기만 한다면 마음씀씀이
가 기특하다고 칭찬해 줄게. 말이 난 김에 하는 말이지만 나는 화과자

라면 쑥떡을 좋아해.

　아무튼 돈만 몇 푼 지불하면 불가사의하고 진기한 존재를 만날 수
있다고.

　반가운 얘기지? 안 그래?

　암, 우리 부상신들은 친절하고 마음씨 넓고 대단한 자들이거든.

리큐네즈미

리큐네즈미 :
이 소설에 등장하는 부상신의 이름이자,
다도 명인 리큐가 선호했다는 녹색을 띤 쥐색을 뜻한다.

1

이른 아침, 에도 후카가와의 나카초에 흐르는 수로 옆 도로를 이상한 젊은이가 걷고 있다.

젊은이는 늘씬한 몸매에 얼굴도 사내다워 겉으로만 봐서는 전혀 이상한 구석이 없다. 요로케무늬곡선으로 이루어진 줄무늬 옷을 입고 혼자 잰걸음으로 걷는다.

그런데 무엇이 이상하냐면, 누구와 대화하는 것도 아닌데 그의 주위에서 내내 목소리가 들리는 것이다. 한 사람의 목소리가 아니다. 세 명 정도가 갈마들며 뭐라고 말하고 있다. 그런데도 젊은이는 전혀 개의치 않는 표정으로 묵묵히 걸을 뿐이다.

호노렌돛처럼 커다란 천으로 만든 포렴이 걸린 가게 앞에 왔을 때 안에 있던 누군가가 젊은이에게 인사를 건넸다. 그러자 묘한 목소리들이 딱 그쳤다.

"어머, 세이지 씨, 새벽부터 수고가 많으시네. 오늘 아침은 어느 가게에 가는 거야?"

"네, 안녕하세요, 오카미상여관, 요릿집, 술집 등의 여주인. 마쓰우메야에 갑니다."

세이지라 불린 젊은이가 씽긋 웃자 호노렌 안에 있던 여자들이 저마다 한마디씩 했다. 그는 여자들에게도 눈인사를 건네며 길가에 늘어선 가게들 앞을 지나갔다. 나란히 서 있는 가게들은 나카초의 요리 차야茶屋 '찻집'이란 뜻이지만 다과만 파는 노점부터 요릿집, 매춘 업소까지 두루 일컫는다이다. 이 지역은 후카가와에서도 유명한 사창가다.

후카가와는 에도성에서 보자면 동쪽에 있으며, 스미다강 최하류의 하구에 걸린 에이타이바시 다리, 그러니까 신오오하시와 쓰쿠다지마의 중간쯤에 위치한 다리를 건너면 나오는 지역이다.

후카가와는 에도 3대 마쓰리 가운데 하나인 후카가와 마쓰리가 열리는 도미오카 하치만구농업의 신 하치만을 모신 신사의 총칭 신사나, 기개와 활기가 매력이라는 다쓰미게이샤후카가와 유곽의 기생들로 잘 알려져 있지만, 유홍가로도 이름을 날렸다.

간에이寬永 원년1624년에 창건된 후카가와 하치만구 신사 앞에 차야가 허가된 것이 사창가로 발전한 계기로 알려져 있다. 사창이 접대하는 비공인 유흥가 오카바쇼는 에도에 수십 군데가 넘는다고 하고 누구는 아예 백 군데가 넘는다고도 하는데, 후카가와는 그중에서도 대표적인 사창가 가운데 하나였다.

후카가와에 있는 업소가 1800년경에는 열 곳을 헤아렸다. 나카초, 도바시, 야구라시타, 스소쓰기, 신치 등의 여러 지역 중에 최고로 치는 곳이 후카가와 나카초로, 하치만 신사 앞 대로에 자리 잡고 있었다. 화대도 후카가와에서 제일 비쌌다.

나카초의 차야들은 동서로 길게 줄지어 있어 조석으로 볕이 들기 때문인지 다들 출입구에 호노렌을 걸어 두었다. 동틀 무렵 포렴을 헤치고 요리 차야인 마쓰우메야에 얼굴을 내민 사람은 근처에서 중고품점 겸 대여점을 운영하는 세이지였다.

"실례합니다. 침구 가지러 왔어요."

그렇게 고하자 잡무 담당인 오센이며 나카이요릿집이나 유흥업소에서 손님을 응대하는 하녀 등이 웃는 낯으로 일제히 세이지를 쳐다보았다. 오카미가 복도에 얼굴을 내밀고, 잠깐 들렀다 가겠느냐고 물었다. 세이지는 붙임성 있게 웃으며 고개를 가로젓고 요리 차야의 계단을 올라갔다.

대여점이라는 것은 솥단지부터 이불, 옷, 심지어 훈도시까지 온갖 물품을 저렴하게 빌려주는 요긴한 가게다. 화재가 잦은 에도에서는 가재 집기를 많이 소유해 봐야 잃어버리기가 쉽고 급히 대피하는 데 방해나 되기 십상이다. 모두들 물품을 빌려 쓴 덕분에 많은 대여점이 영업을 했다.

하지만 물품을 빌렸다가 팔아먹는 불량한 손님도 있다. 그래서 대여점이 물품을 빌려줄 때는 보증을 위해 요금 외에 얼마간의 돈을 받아두고 있었다.

다양한 물품 중에서도 가장 활발히 대여되는 것이 침구다. 후카가와의 대여점은 사창가가 주요 고객이었다. 이즈모야도 창기 오키야_{의뢰를} _{받고 유흥업소에 창기를 파견하는 업소}에 소속되지 않은, 데이슈라 불리는 독립 출장 창기들을 단골로 두었다. 손님이 들었다는 연락이 오면 몸을 다 가릴 만큼 커다란 보자기에 침구를 싸서 세이지가 차야 2층으로 배달한다. 이러한 침구 배달은 차야에서는 흔히 볼 수 있는 광경이다.

세이지는 차야를 방문하는 김에 지갑이나 담뱃대, 구입하기에는 조금 부담스러운 값비싼 마키에_{칠기 표면에 금은 가루로 무늬를 놓는 일본의 전통 공예} 머리빗 등을 가져가서 대여했으므로 유녀들은 세이지를 보면 앞을 다투듯 알은 척을 했다.

"기왕에 빌릴 거면 잘생긴 젊은 사내가 좋지."

유녀들은 솔직했다.

설사 이즈모야에서 빌린 물품에서는 종종 묘한 소리가 들리더라는 소문이 돌아도…… 후카가와의 유녀들은 그런 소문조차 세이지에게 말을 거는 계기로 삼으며 즐기고 있었다.

요리 차야 2층은 벌써 방마다 장지가 활짝 열려 있는 걸 보니 손님들이 모두 돌아간 듯했다. 그래서 세이지는 아무 말도 없이 제일 구석에 있는 방에 들어섰다가 병풍 뒤에 여전히 남녀가 앉아 있는 것을 보고 흠칫 놀랐다.

후카가와의 유곽에서는 손님과 유녀가 방 하나를 다 쓰는 일이 거의 없고, 대개 방을 병풍으로 나눠 쓰는 '와리도코'를 한다.

'한 쌍이 아직 남아 있었나?'

한순간 멈춰선 세이지에게 여자가 웃으며 말을 건넸다. 가만 보니 손님과 함께 이미 옷을 차려입은 상태였다.

"아, 세이지 씨, 기다리고 있었어요."

"응? 이 시간까지 웬일이야?"

유녀는 대여점의 단골 오키노였다. 오키노는 차야에서 밤새 손님을 맞는 동안, 이웃 부인에게 돈을 얼마간 주고 병자인 모친의 간병을 맡기고 있다. 그래서 세이지가 침구를 회수하러 갈 시간이면 오키노는 이미 귀가하여 차야에 없는 것이 보통이다.

세이지는 일단 보자기를 펴 놓고 빌려준 침구를 쌌다. 곁눈으로 보니 오키노의 손님은 젊은 무가 같았다. 외모는 잘생겼지만 패기가 없어 보였다. 후카가와 사창가와 묘하게 어울려 보인다.

'어……? 무가인가.'

그게 이상한 일이라고는 할 수 없지만, 후카가와 사창가의 손님들은 대개 상점에서 일하는 사람들이었다. 주머니도 가볍고 시간도 부족한 점원들이 어렵게 변통해서 잠시 즐기러 오는 것이다.

"세이지 씨, 이분은 제 단골이신 사쿠마 가쓰사부로 님이에요."

짐을 꾸리고 있는데 등 뒤에서 오키노가 말했다.

"조금 곤란한 사정이 생기셨다는데, 그런 일이라면 세이지 씨한테 얘기하는 게 상책이라고 제가 가쓰사부로 님께 말씀드렸거든요."

세이지를 만나려면 침구를 회수하러 오기를 기다리면 된다. 그래서 두 사람은 방에 남아 있었다는 것이다.

"곤란한 사정?"

세이지가 한쪽 눈썹을 쓱 쳐들었다. 무가에게 무슨 부탁을 듣는 것은 처음이다.

"저희 이즈모야는 중고품점 겸 대여점입니다. 요금만 주시면 성묘도 해 드리고 배달 같은 심부름도 시간이 허락하는 한 얼마든지 해 드릴 수 있습니다만."

"잘 됐네요. 다행이에요, 세이지 씨."

오키노는 기뻐하지만, 상의를 하려고 해도 요리 차야의 와리도코에 언제까지 버티고 있을 수는 없다. 세이지는 잠깐 궁리하는 표정을 짓더니 입을 열었다.

"이렇게 커다란 보퉁이를 안고 경단 가게에 들어가 차를 마실 수도 없는 노릇이니 무가님만 마다하지 않으시면 저희 이즈모야까지 함께 가시겠습니까?"

이즈모야라면 이목에 신경 쓰지 않고 이야기할 수 있다. 가쓰사부로는 흔쾌한 얼굴로 상관없다고 말했다. 무가라 하지만 가독 상속권이 없는 곁방살이 차남이니 요란한 대접은 쓸모없으리라. 그러나 옷차림은 빈틈이 없으니 나름대로 상당한 봉록을 받는 가문의 자손일 것이다.

세이지는 커다란 침구 보퉁이를 등에 지고 앞장서서 차야 계단을 내려갔다. 오키노도 이즈모야에 함께 갈 생각인지 가쓰사부로를 뒤따랐다. 밖에 나서니 동튼 지 오래인 나카초 거리에 사람은 별로 보이지 않았다.

'그런데 대여점 주인에게 부탁할 일이 무엇일까.'

생각을 해 봐도 짐작이 되지 않았다. 이즈모야는 마쓰우메야에서 그리 멀지 않기 때문에 세 사람은 곧 폭이 세 칸인 수수하기 짝이 없는 대여점으로 들어갔다.

오키노는 긴타라는 예명으로 불리던 하오리게이샤_{남성 겉옷인 하오리를 걸친 게이샤라는 뜻으로, 활달한 기풍의 후카가와 게이샤를 이른다} 출신으로, 전에는 몸을 팔지 않았다. 그러나 모친이 병들어 자리에 눕자 늘 곁에서 보살필 사람이 필요해진 데다 약값도 많이 늘었다. 가능한 한 집에 머물며 돈을 벌기 위해 오키노는 유녀가 되었다. 나카초 뒷골목 쪽방에 살며 모친을 간병하는 한편 '출장식' 독립 유녀로서 손님을 받은 것이다.

같은 유녀라 해도 막부가 인가한 공창을 두는 요시와라와, 사창이 일하는 후카가와는 많은 점에서 다르다. 호칭도 영업 방식도 지역에 따라 차이가 있다는 말이다.

후카가와의 유녀는 흔히 '아이'라 불리는데, 이들은 다시 두 유형으로 나뉜다. 하나는 요시와라처럼 유곽에 고용된 유녀인 '후세다마', 또 하나는 포주집인 '오키야'에 대기하고 있다가 요리 차야의 호출을 받고 출장을 나가는 '요비다시'였다. 요비다시 중에는 자택에서 차야로 출장가서 잠자리를 제공하는 독립 업자도 있었다.

후카가와의 많은 사창가 중 나카초에는 '후세다마'가 없고 '요비다시'만 있었다. 유녀들은 업자의 호출을 받아 차야 등의 업소로 출장을 나간다. 독립 유녀도 호출을 받고 차야로 출장 가는 것은 마찬가지였다.

유곽은 시간을 정해 두고 노는 것이 원칙으로, 기본이 두 각_{약 4시간} 정도였다. 나카초의 화대는 주야가 각 36몸매_匁, 기본인 두 각에 12몸매. 후카가와 내에서도 주야가 각 60몸매라거나 금 3부_分라는 등 노는 곳에 따라 화대도 달라졌다.

금 1냥 = 4부_分 = 16슈_朱 = 60몸매_匁 = 400히키_疋 = 4천 몬_文, 1슈 = 250몬, 15몸매 = 1부, 100히키 = 1부였다. 에도 시대에는 금화, 은화, 동전이 함께 쓰였기 때문에 화폐 단위가 복잡했다. '몸매'는 은화의 단위, '몬'은 동전의 단위, '히키'는 동전을 헤아리는 단위이지만 1히키=10몬~25몬으로 시절에 따라 달라졌다. 환율은 시대와 상황에 따라 변동되어 에도 시대 초기의 금 1냥은 4천 몬에 해당했지만 말기에 이르면 6천 5백 몬이 되었다.

후카가와는 요시와라처럼 비싸지도 않고 격식을 따지지도 않았다. 그러나 밤거리에 나서는 하급 창부 요타카_{夜鷹}나 후나만주_{船饅頭} 따위를 상대하는 것보다는 조금 느긋하게 즐기려는 손님이 많았다. 그런 곳이 후카가와 사창가였다.

침구를 비롯하여 차야에서 사용하는 물건들을 다양하게 빌리는 유녀는 대여점의 소중한 고객이었다. 그러나 오키노가 이즈모야에 얼굴을 비치는 일은 드물어, 세이지와 함께 가게를 꾸리는 누나 오코는 조금 놀란 모습을 보였다.

하지만 오코도 장사를 하는 사람인지라 이내 웃음을 지으며 두 사람을 내실로 안내하고 차를 내주었다. 상큼하고 상냥한 그녀의 얼굴을 가쓰사부로는 잠시 넋을 놓고 쳐다보았다.

"그런데 가쓰사부로 님, 그 곤란한 사정이라는 게 무엇인지요?"

가쓰사부로 앞에 앉은 세이지가 바로 본론을 꺼냈다. 가쓰사부로는 늘씬하고 젊어서 활달한 인상을 풍겼지만 표정은 왠지 어두웠다. 그가 잠시 망설이는 기미를 보이다가 어렵게 입 밖에 낸 말은 놀라운 것이었다.

"실은 내가 소중히 여기던 네쓰케가 다리가 생겨 달아나 버리고 말았네. 그걸 찾아 줬으면 좋겠어."

이즈모야 실내가 한순간 침묵에 싸였다.

2

가쓰사부로는 자신이 스미다 강 너머에 있는 어느 다이묘 가문의 가신 집안 출신이라고 소개했다. 차남이라 가독을 상속받을 몸은 아니라고 한다. 옷차림으로 보아 나름대로 상당한 봉록을 받는 집안의 자손인 줄은 알았지만 출신치고는 조금 허물없는 말투였다.

"얼마 전에 어느 집안에 데릴사위로 들어가는 혼담이 정해졌네."

3개월쯤 전, 가독 상속권이 없는 가쓰사부로에게 데릴사위로 혼담이 나왔다고 한다. 문제의 네쓰케는 혼처인 하치야가에서 가쓰사부로에게 보낸 선물이었다. 참으로 뛰어나게 만들어진 쥐 모양의 네쓰케였다고 한다.

하치야가는 최근 적자를 여의었는데, 그 죽은 아들에게 주려고 마련한 물건이었던 것 같다. 가문을 물려받을 귀한 후계자임을 보여주는 증표인 셈이다.

"하치야에 데릴사위로 들어갈 때 그걸 가져가야 해."

최근까지 네쓰케는 가쓰사부로의 방에 소중히 보관되어 있었다.

그런데 어느 날 도난을 당한 것이다.

아니, 공식적으로 도난 사건 같은 일은 없었던 것으로 되어 있다. 되찾기 전에 하치야가에 사실이 알려지면 곤란하기 때문이다. 물론 사쿠마가 사람들은 네쓰케를 도난당했다는 사실을 잘 알고 있다.

"그런데 내가 하고자 하는 이야기는 그냥 도난을 당했다는 게 아니네. 실은 기묘한 일이 있었어."

한숨짓는 듯한 말투였다. 오직 한 사람, 가쓰사부로만이 진실을 목도했다고 한다.

사쿠마가는 조후참근교대 없이 에도에 상근하는 자여서 다이묘 저택 내의 집을 주거로 배정받아서 생활하고 있었다. 비록 지붕이 길게 이어진 공동주택이긴 하지만 1층에 10칸, 2층에 6칸이나 사용한다. 그 가운데 북향 방에서 어느 날 가쓰사부로가 도둑을 발견한 것이다.

제압하려고 하자 도둑은 단도를 꺼내 들고 저항했다. 한바탕 싸운 끝에 겨우 방바닥에 때려눕혀 제압했을 때 가쓰사부로는 보았다.

"도둑은 네쓰케를 넣어 둔 오동나무 상자를 가져가려고 했더군. 다다미에 뒹구는 상자에서 귀한 네쓰케가 불쑥 빠져나왔네. 그런데 그 네쓰케가 진짜 쥐처럼 움직이기 시작하지 뭔가."

쥐 네쓰케는 다다미에서 일어서더니 굉장한 기세로 방을 뛰어나가 버렸다. 가쓰사부로는 잠시 아무 생각도 못한 채 멍하니 있었다.

"그 네쓰케는 내력이 아주 오랜 물건이라고 하던데…… 대체 무슨 일이 일어난 건지 당혹스럽더군."

멍하니 생각하는 틈에 도둑은 가쓰사부로를 뿌리치고 달아나 버렸다. 가쓰사부로는 네쓰케를 눈앞에서 빼앗기다니 이게 무슨 일이냐, 하며 부모와 형에게 호된 질책을 들어야 했다.

사실은 그게 아니라, 하며 본 대로…… 네쓰케가 제 발로 달아나 버렸다고 말했지만, 되찾기 싫어서 핑계를 대는 것이라며 더욱 분노를 샀다. 더 버티면 머리가 이상해졌다며 집안 내 감옥방에 갇힐 판이었다. 가쓰사부로는 입을 다물어 버렸다.

"그야 그렇지. 확실히 기묘한 이야기니까."

"아무튼 귀한 물건을 잃어버리다니, 있어서는 안 되는 실수다. 밖에 알려지면 아버지 처지도 곤란해지게 될 거다."

하치야가는 사쿠마가보다 봉록도 신분도 높았기 때문이다. 괴이하고 말고가 아니라 그 점이 더 중요한 듯했다. 가독 상속권이 없는 가쓰사부로는 식솔 중에서 가장 시간이 많았다. 그래서 내내 네쓰케를 찾아 돌아다녔지만 여전히 찾지 못하고 있었다.

"찾아다니다 지쳐서 후카가와에 들러 하룻밤 쉬고 나서 단골인 오키노에게 그 이야기를 했네. 그랬더니 오키노는 대본점에서 빌린 책에서 내 이야기와 비슷한 기묘한 그림을 본 적이 있다더군."

부상신에 관한 책이었다. 몸통에 손발이 달린 도롱이 귀신이나 샤미센이 삽화로 그려져 있었다고 한다.

"가재 집기가 오래되면 다른 존재로 변한다고? 책에 따르면 인간에게 해코지하는 일도 있다더군."

'부상신.'

가재 집기 요괴인데, 집기가 생겨나 백 년을 묵으면 정령을 얻는 경우가 있다. 그러면 이제는 그냥 '집기'가 아니라 요괴 이름이 붙는 귀신인 것이다. 부상신을 자처하는 것들은 다양하다고 한다.

"가쓰사부로 님, 그냥 지어낸 이야기일 뿐입니다."

"나는 네쓰케가 그 부상신이 아닐까 생각하고 있네."

잠시 방 안에 침묵이 흘렀다. 하지만 곧 가쓰사부로는 후훗, 하고 웃었다.

"뭐 좋아. 귀신이 진짜 존재하든 말든 그 물건은 꼭 되찾아야 하네."

"그러시군요. 그런데 가쓰사부로 님, 그 이상한 네쓰케를 찾으면서 왜 저희 가게로 오신 겁니까?"

옆에서 오코가 방긋 웃으며 물었다. 이 물음에 대답한 이는 오키노였다.

"아, 내가 권했어요. 불가사의한 물건에 관한 얘기라면 이 가게가 딱이라고. 후카가와에서는 그렇게 알려져 있으니까요."

그러자 가게 안 어디선가 작은 목소리가 들렸다.

"……저런, 어리석은 유녀 같으니. 알지도 못하면서……."

"지금 뭐라고 했나?"

"아뇨. 가쓰사부로 님은 무슨 소리를 들으셨나요?"

오코가 웃는 사이에 세이지가 가만히 일어섰다. 그러더니 가게 구석의 선반으로 다가가 거기 놓여 있던 나무 상자를 무슨 까닭인지 탁 쳤다.

"물론 이런 이상한 이야기는 당혹스럽겠지만 이 가게 주인이라면 내 청을 들어줄 거라고 해서 말이지."

요컨대 조금 별난 네쓰케를 이즈모야에서 찾아 주었으면 좋겠다는 뜻이리라.

"사례는 넉넉히 하겠네. 잘 부탁하네."

'부상신이 된 네쓰케라…….'

세이지는 미간을 찡그렸다. 그런 물건을 척척 찾아내 주었다가는 이즈모야가 기묘한 존재와 인연이 깊다는 소문이 날 게 분명했다.

'오키노 씨한테도 이상한 이야기는 퍼뜨리지 말라고 다짐을 받아 놓

아야겠군.'

네쓰케를 찾아 달라는 요청을 받아들이면 곤란하겠구나 싶어서 냉정하게 거절하려는데 오코가 무릎걸음으로 가쓰사부로에게 재빨리 다가갔다. 그녀의 얼굴에 굳은 결심 같은 표정이 떠올라 있었다.

"부상신이라고요? 원래 그런 황당한 일에는 관여하지 않기로 해 왔는데, 하지만."

자기보다 어려 보이는 오코가 대놓고 황당하다고 말하자 가쓰사부로는 조금 머쓱해했다.

"하지만……이라니, 계속 말해 보게."

"저어, 저희 이즈모야에서도 오래전부터 찾던 물건이 있습니다. 연지와 팥의 중간쯤 되는 색깔에 풀꽃 무늬가 그려진 향로입니다. 이름은 스오蘇芳 염료로 쓰이는 식물 '소방'을 일본어로 읽은 것, 스오로 물들인 검붉은색을 뜻하기도 한다라고 합니다."

백방으로 찾았지만 단서조차 못 잡은 것을 보면 어느 무가의 창고 속에 들어가 있는지도 모른다. 가쓰사부로가 그 향로의 행방을 찾아봐 준다면 자신도 네쓰케를 찾아보겠다고 오코가 제안했다. 그러자 세이지가 오코의 말을 얼른 막았다.

"누나, 또 스오 얘기를! 가게 일에 끌어들이면 손님에게 폐가 되잖아."

"하지만 뭐라도 시도해 봐야 하잖아. 스오의 행방을 통 알 수가 없지 않니."

그러자 오키노가 끼어들었다.

"어머, 오코 씨는 예전의 그분에게 여전히 미련이 있는 건가요? 세이지 씨도 힘들겠어요."

"그건 또 무슨 말이죠?"

다들 목소리가 날카로워졌다. 그때 어이없다는 듯한 웃음 소리가 들렸다.

"어이, 이보게들, 할 얘기가 많은 듯한데…… 내 앞에서 다툴 일은 아니지 않나?"

가쓰사부로가 그렇게 말하자 세 사람은 흠칫하며 서로 얼굴을 쳐다보았다.

"아, 이런, 죄송합니다……."

"저마다 사정이 있는 모양이군. 스오라는 이름의 향로라고? 내 기억해 두지."

가쓰사부로가 흔쾌히 말하자 세이지도 상대방의 청을 거절하기가 어려워졌다. 냉정하게 거절하지 못하는 사이에 가쓰사부로가 더욱 놀라운 이야기를 꺼냈다.

"사실 그 네스케는 전에도 한 번 빼앗길 뻔한 적이 있네. 벌써 두 달 전이군. 후카가와에서 하룻밤 자고 비를 맞으며 집으로 돌아가는 길에 갑자기 시비에 휘말려서."

상대는 무사였다. 대뜸 험악하게 나오는 상대방을 보고 가쓰사부로는 먹고살 길이 막막한 낭인이 강도짓이라도 하려나 보다 생각했다.

"뭐, 그렇게 보기에는 옷차림이 좋았지만."

빗속에 삿갓을 쓰고 있어서 얼굴은 똑똑히 보지 못했다. 어딘지 분위기가 섬뜩해서 외면하고 그냥 가려고 하자 상대가 칼을 휘두르며 덤벼들었다. 가쓰사부로가 넘어졌는데 상대방은 그 틈에 칼로 찌르기는커녕 네쓰케로 손을 뻗었다. 간신히 피하기는 했지만.

"그 네쓰케, 값비싼 건가요?"

세이지가 물을 때 오코도 눈을 휘둥그레 뜨고 있었다.

"아니, 목공예품이네."

황금이나 산호로 만들어진 것은 아니었다. 그냥 네쓰케일 뿐이다.

"장인이 될 분한테 받은 만큼 정말 중요한 물건이야. 누가 훔쳐서 내다 팔려고 해도 내력을 밝힐 수 없을 테니 제대로 값을 받기도 힘들겠지."

고개를 가로젓는 모습으로 보아 가쓰사부로도 네쓰케를 빼앗으려던 이유를 짐작하지 못하는 듯했다. 아무튼 그때부터 네쓰케는 그의 방에 보관되어 있었다. 그러다가 도둑이 들었던 것이다.

"벌써 두 번이나 표적이 되었네. 그냥 우연이었는지는 모르지만…… 찾을 때는 그 점을 명심하게."

세이지는 아직 네쓰케를 찾아보겠다고 대답하지 않았는데 가쓰사부로는 상대가 받아들였다고 여긴 듯했다.

오누이 두 사람에게 조심하라 이르고 볼일을 마쳤다고 생각했는지 자리에서 일어나 서둘러 돌아가야겠다고 말했다.

간밤에는 후카가와에서 외박을 하고 말았다. 곁방살이나 다름없는 차남이 너무 제멋대로 굴면 저택 식솔들이 불평을 하는 모양이다. 오코가 쓴웃음을 지었다.

"무가님도 꽤 힘드시겠어요."

"네쓰케에는 보라색 끈이 달려 있네."

잘 부탁한다고 신신당부한 가쓰사부로는 다시 오겠다는 말을 남기고 봉당으로 내려가 잰걸음으로 걸어 나갔다.

3

뒤이어 오키노가 돌아가는 모습을 바라보던 세이지가 가게 구석의 선반을 힐끔 쳐다보았다.

"그나저나 가쓰사부로 님은…… 부상신이 있다는 사실을 전혀 의심하지 않고 믿는군."

부상신을 보았다고 했지만 단 한 번뿐이다. 그러나 계산대로 들어간 오코는 세이지의 말에 고개를 살짝 갸우뚱거렸다.

"부상신은 평범한 게 아니잖아. 한 번이라도 보면 잊으려야 잊을 수 없겠지, 당연히."

아무래도 오코는 가쓰사부로를 동정하는 눈치였다. 스오를 찾아봐 주겠다고 약속했기 때문인 듯하다.

"좋은 분이야."

"누나는 스오 생각뿐이니까. 쳇……."

세이지가 한숨과 함께 조금 지친 목소리로 말했다. 오코는 언제나 저 모양이다.

스오는 오코에게 특별한 향로다. 스오 탓에 오코가 스물이 넘은 지금도 홀몸일 거라고 세이지는 생각했다.

'누나는 스오에 집착하는 거야…….'

세이지는 한숨을 삼키며 침구를 다시 보자기에 싸서 안쪽에 넣어 두고 가게 문을 열었다. 오코도 계산대에서 잔돈을 준비했다. 마침내 이즈모야의 영업이 시작된 것이다.

그런데 잠시 뒤 아직 손님도 들지 않은 실내에 기묘한 목소리가 흘러나오기 시작했다.

"저런, 오누이가 이상한 일을 떠맡게 된 모양이네."

"냉큼 거절하지 못한 게 잘못이지."

"누가 네쓰케를 추적하겠어? 어림도 없지, 암."

오코와 세이지가 얼른 눈을 맞추었다.

'아아, 그 소리들이 또 들리네.'

이즈모야에는 벌써 오래전부터 오누이 말고도 말을 하는 자들이 있었던 것이다.

처음에는 헛들었나 싶었지만 머지않아 두 사람 모두 그 소리를 듣고 있음을 알았다. 목소리의 주인은 아무리 생각해도 영업 품목인 중고품들이었다. 시험 삼아 먼저 말을 걸어 보았지만 거기에는 대답이 없었다. 더구나 저희끼리 나누던 대화도 딱 그쳐 버렸다. 이쪽에서 아무 말도 하지 않고 있자 다시 이야기 소리가 들렸다.

이즈모야의 중고품들 중에 부상신이 있는 것은 아닐까?

그래서…… 처음에는 망설였다. 이 기괴한 물건들을 어떻게 할까. 부상신 같다고는 하지만 대개는 침묵을 지키고 있다. 중고품점 겸 대여점이 취급하기에 부적합한 물건은 없었다. 가게 물품을 내다 버릴 수 있을 만큼 이즈모야의 형편이 여유로운 것도 아니다. 여하튼 물품을 대여하지 않으면 오누이는 생계 잇기가 힘든 형편이다.

그래서 오누이는 물품들 중에 범상치 않은 '부상신'이 있을지 모른다고 생각하면서도…… 신경 쓰지 않기로 했다.

오늘도 오누이는 분명히 들리는 그 목소리들을 무시하며 말없이 일을 하고 있다. 그러자 이즈모야의 묘한 물건들은 오누이 두 사람이 있는데도 개의치 않고 네쓰케 이야기를 열심히 주고받기 시작했다.

"제 발로 걷는 쥐 네쓰케래. 부상신이라던데."

"네쓰케를 훔치려고 한 자가 있다지. 대체 그건 뭐하는 놈이야?"

지금으로서는 알 수 없다고 대답한 것은 담뱃대 부상신 '고이'五位 해오라기의 별칭였다. 대통에 해오라기 그림이 그려져 있어 고이라 불리는 듯하다. 꽤 오래전부터 들어 왔기 때문에 오누이는 부상신들의 목소리를 분간할 수 있었다.

"오코는 가쓰사부로를 믿는다고 했지만 그 이유가 한심하잖아. 스오를 찾아봐 주겠다고 했기 때문이라니."

매사 스오를 우선시하는 오코는 부상신들의 놀림 대상이다. 세이지는 저도 모르게 한마디 하려다가 가까스로 참았다. 이쪽이 조용히 있지 않으면 부상신들이 입을 다물어 버리기 때문이다.

"하지만 이상하지. 부상신이 사람들 보는 데서 움직이다니, 별일이네."

이렇게 말한 것은 아씨 인형 오히메인데 제법 비싼 요금으로 대여되는 물품이었다.

"대체 왜 네쓰케 부상신은 주인 가쓰사부로가 빤히 보는 데서 도망쳐 버렸을까?"

"모르겠나? 그야 무서워서겠지."

도둑과 가쓰사부로가 방 안에서 칼부림을 하고 있었다. 잘못 휘두른 칼에 두 동강이라도 나면 부상신의 생명도 끝장난다. 노테쓰의 의견에 머리빗 부상신 '우사기'가 동의했다.

"흐음, 그런데 도망친 뒤로는……."

"……어떻게 지내고 있을까."

네쓰케가 어디로 도망쳤는지는 부상신들도 모르는 듯했다. 그때 화로 상자일본의 전통 화로는 나무 상자 안에 용기나 금속 용기를 담는 방식에서 무쇠주전자가 김을 뿜었고, 그 소리에 부상신들 목소리가 끊겼다. 이윽고 손님이 들어오는 바람에 그날의 대화는 그대로 끝나고 말았다.

하지만 오코와 세이지는 네쓰케 추적 일을 떠맡았으므로 수색을 위해 상의를 하지 않을 수 없었다. 이튿날도 손님이 없는 시간에 가게 안에서 가쓰사부로의 네쓰케 이야기를 했다.

"그런데 누나, 갑자기 네쓰케를 찾으려 해도 지금으로서는 어디에 있을지 짐작도 안 되잖아. 게다가 어느 무가가 그 네쓰케에 눈독을 들인다는 이야기도 있었고. 역시 찾아 달라는 요청을 받아들이는 게 아니었어."

"왜, 세이지는 그만두고 싶어?"

오코가 웃음을 지었다.

"가쓰사부로 님이 대가를 넉넉히 주겠다고 하셨어. 일이 있으면 해야지. 게다가 세이지, 너는 궁금하지도 않아? 누가 왜 네쓰케를 노리는지 그 이유가 말이야."

"그야 궁금하지."

그 일로 가쓰사부로를 만나게 되었으니 궁금하기는 하다. 하지만 어디 의지할 데도 없고 일은 전혀 진척되지 않았다. 그런데도 세이지의 말을 들은 부상신들은 네쓰케를 두고 한바탕 이야기꽃을 피웠다.

"그 무가가 네쓰케를 되찾아 무사히 데릴사위로 들어갈 수 있을지 흥미진진하구먼."

우사기의 웃음소리 같은 목소리가 들렸다. 고이도 거들었다.

"가쓰사부로 님의 짝이 될 아가씨가 얼마나 예쁘게 생겼는지 궁금하네. 아무튼 한동안 얘깃거리가 부족하지는 않겠어."

"나도 그 아가씨가 보고 싶은데 어떻게 하면 볼 수 있을까?"

그 이야기를 들었을 때 집기들의 먼지를 털고 있던 세이지가 손길을 멈추고 잠시 생각에 빠졌다. 잠시 후 싱긋 웃더니 건너편에 앉은 오코에게 어떤 제안을 했다. 오코가 놀란 표정을 지었다.

"가쓰사부로 님의 사쿠마가가 모시는 다이묘 저택에 우리 가게의 집기를 빌려주자고?"

다이묘 저택은 매우 넓다. 도망친 네쓰케가 아직 저택 안에 있을 가능성도 충분히 생각할 수 있다. 그러니 대여점의 부상신들을 저택 사람들에게 공짜로 빌려주자는 것이다.

"그렇게 하면 부상신들이 저택 안에 떠도는 소문을 주워듣고 여기로 돌아와 떠벌리겠지. 가쓰사부로 님에게 다리를 놓아 달라고 해서 하치야가 저택에도 부상신을 빌려주는 게 좋겠어. 네쓰케가 원래 있던 집으로 돌아가 있을지도 모르니까."

이야기가 끝나자 두 사람은 애써 침묵했다. 그러자 곧 부상신들의 불쾌해하는 목소리가 가게 안에 가득 찼다. 다들 뒷소문은 좋아라 하지만 일을 하고 싶은 마음은 전혀 없다. 인간에게 시달리는 것은 딱 질색이라며 불만을 터트렸다.

"우리를 빌려줄 생각인가! 이 대여점, 정말 형편없군."

"대여되어 나갔다가 망가지기라도 하면 어쩔 건데!"

쓰쿠요미나 고이의 목소리가 떨떠름하다. 그때 오코가 혼잣말을 했다.

"사쿠마가나 하치야가에 들어가면 틀림없이 재미난 이야기를 들을 수 있을 거야."

부상신들의 불평이 대번에 그쳤다. 아무래도 다들 구미가 당기기는 하는 모양이다.

그러나 곧 가게 여기저기서 다시 투덜거리는 목소리가 들려왔다.

"……빌어먹을. 에잇, 재수 없어."

이러쿵저러쿵 제법 시끄럽다.

"다른 대여점도 이런가?"

세이지는 오랫동안 소박한 의문을 품고 지내 왔지만 범상한 일이 아니므로 차마 입 밖에 내지 못했다. 그래서 실상을 알지 못한 채 지내 왔다.

4

이튿날 오키노를 통해 일찌감치 가쓰사부로에게 연락해서 승낙을 받았다. 다음날 오후에는 세이지가 짐을 꾸려 사쿠마가 일하는 다이묘 저택의 대문을 지났다. 듣던 대로 자칫하면 길을 잃을 것 같은 넓은 저택이었다. 세이지는 네쓰케가 없는지 여기저기 살피며 가신의 집이 있는 공동주택 한쪽에 당도했다.

다이묘 저택 안에는 조후 무사들뿐만 아니라 여성들, 에도에 단신으로 올라와 공동주택에 기숙하는 무사들도 있었다. 이틀 정도는 공짜로 대여해 주겠다고 하자 네쓰케나 인형 따위가 순식간에 여러 사람에게 넘어갔다.

'좋아, 계획대로군.'

그런데.

저택 안에 집기를 쉽게 들여놓기는 했지만 세이지의 의도와 달리 부상신들은 아무도 네쓰케의 행방에 신경을 쓰지 않았다. 오누이는 이틀 뒤 모든 집기를 수거하여 가게로 돌아온 뒤에야 그 사실을 알게 되었다. 부상신들은 네쓰케보다 가쓰사부로와 그 혼담에만 관심이 쏠려 있었다. 밤이 되어 문을 닫은 이즈모야 내부는 이상한 자들의 목소리로 가득 찼다.

"나는 가쓰사부로의 형 유노스케를 봤어. 얼굴은 처자들에게 인기가 있을 법한 갸름한 상이더군. 하지만 말은 가쓰사부로보다 더 많겠더라."

노테쓰가 신이 나서 말했다.

"그래? 내가 보기엔 가쓰사부로 님이 더 남자답게 생긴 것 같던데."

오히메에 따르면 사쿠마가의 봉록은 2백 석이라고 한다. 하타모토에 버금가는 높은 봉록이지만 가독 상속권이 없는 차남이 주눅 들어 사는 것은 여느 가문과 다르지 않으리라. 가쓰사부로의 방은 다다미 여섯 첩짜리에 북향이며 소박했다. 네쓰케는 그곳에 돌아와 있지 않았지만 노테쓰는 그런 데는 신경도 쓰지 않고 형제 중에 어느 쪽 인물이 더 나은지를 놓고 오히메와 논쟁을 하고 있었다.

그때 고이가 후우, 하고 한숨을 지었다. 마침내 네쓰케 이야기가 나올까 기대했지만 이쪽 역시 엉뚱한 이야기를 꺼냈다.

"당신들보다 내가 더 재미난 것을 본 듯하군. 나는 가쓰사부로 님을 데릴사위로 맞을 가문인 하치야가에 임대되어 갔었어. 혼약자 사나에 님도 보고 왔지."

"대단한걸."

"어떤 아가씨야? 예뻐?"

부상신들의 관심이 대번에 사나에 쪽으로 쏠렸다. 나이는 열여섯이고 아주 예뻤지만 활달한 가쓰사부로의 배필로는 너무 조숙하다는 인상이었단다. 다만 하치야가는 사쿠마가보다 훨씬 부유한지 입고 있는 옷이 훌륭하고 잘 어울리더라. 그 말에 우사기의 웃음소리 같은 목소리가 날아들었다.

"세상에! 고이는 뭘 보고 온 거야. 조숙한 인상 같은 거 전혀 없던데. 약혼한 처지인데 다른 남자의 편지를 받고 있더군. 게다가 부모에게 결혼을 미룰 수 없겠느냐고 울면서 호소하던걸. 이러니 가쓰사부로 님은 데릴사위로 들어가도 대접받긴 틀렸어."

하치야 사나에에게는 이미 연모하는 남자가 있는 듯하다. 그 말을 들은 오누이는 동시에 눈을 휘둥그레 떴다. 그때 잠자코 있던 쓰쿠요미가 비로소 입을 열었다.

"사나에 님이 편지를 받았다고 해도 내가 보기에는 사나에 님 잘못이 아니야. 그건 그렇고…… 무슨 편지 같아, 고이?"

갑자기 질문을 받은 탓인지 가게 안이 조용해졌다. 하지만 이내 고이가 대답했다.

"사나에 님 잘못이 아니라는 쓰쿠요미의 말이 마음에 걸리네. 그러니까 사나에 님은 다른 남자가 있어도 이상할 게 없는 처지였나?"

방에 앉아 부상신들의 이야기를 듣던 세이지가 무릎을 탁 쳤다. 잠시 부상신들이 침묵했다.

"그래, 그 네쓰케. 원래는 하치야가의 죽은 장남이 받기로 했던 물건이랬지?"

하치야가 장남은 얼마 전에 죽었다고 했다! "아!" 하고 오코가 소리를 냈다.

"사나에 님은 본래 다른 남자와 결혼할 계획이었던 거네."

원래 상대는 어느 가문을 물려받을 장남이었을 것이다. 하지만 하치야가의 적손이 죽었으므로 데릴사위를 들여야 한다. 어쩔 수 없이 딸의 약혼자를 데릴사위가 될 수 없는 장남에서 다른 집 차남으로 급거 교체한 것이다.

"하지만 그 남자에게서 여전히 편지가 온다는 것은…… 전 약혼자가 사나에 님을 좋아하고 있는 거야. 사나에 님도 새로운 신랑감은 필요 없다고 생각하는지도 모르지. 그래서……."

오누이는 얼굴을 마주보았다. 세이지의 표정이 날카로워졌다.

"가령 누군가에게 돈을 쥐어 주고 쥐 네쓰케를 훔치게 한 사람은 사나에 님일 수도 있겠어."

가쓰사부로가 그 물건을 잃어버렸다고 하면 혼담은 무산되고 말 것이다. 그걸 노리고 사나에가 손을 썼는지도 모른다.

"그렇다면 사나에 님의 전 약혼자도 수상해지는데. 게다가……."

오코가 생각난 듯이 입을 열었다.

"가쓰사부로 님도 혼담을 달가워하지 않는 듯했어. 오히려 오키노 씨를 좋아하는 것 같았잖아."

하지만 이미 결정된 가쓰사부로의 짝은 사나에였다.

"가쓰사부로 님이 한바탕 연극을 하기로 작정하고 지인에게 네쓰케를 훔쳐 달라고 했는지도 모르지."

그러자 세이지가 고개를 저었다.

"그건 무리한 생각이야, 누나. 곁방살이 차남으로 남아 있으면 제대로 결혼하기도 힘들어. 하물며 상대가 유녀라면 이번 결혼이 무산된다고 해도 혼례를 올릴 수 없어."

세상에는 이루어지기 힘든 짝이 한숨이 나올 만큼 많은 듯하다. 후카가와에서 가쓰사부로를 공격했다는 무가가 만약 사나에나 그 전 약혼자의 요청을 받고 움직인 지인이라면 납득이 간다. 네쓰케를 노렸을 뿐 가쓰사부로를 진짜로 베어 죽일 마음은 없었으리라.

세이지와 오코가 얼굴을 마주보았다.

"세상에. 사정을 알고 나니까 더 이상 네쓰케를 찾고 싶지 않은데. 누나, 가쓰사부로 님에게 누가 네쓰케를 훔치려는지 얘기하고 이제 그만 손을 뗄까?"

"하지만 세이지, 그렇게 되면 스오는……."

"가쓰사부로 님은 친절한 사람 같아. 어디선가 스오를 발견하면 우리 가게에 알려줄 거야."

"하지만…… 그래도……."

오코가 스오의 행방을 걱정하며 안절부절못하는 모습을 보이면 세이지는 늘 기묘한 심정이 되고 만다.

누나가 걱정하는 것이 향로 자체가 아님을 알고 있다. 꼭 만나고 싶은 것은 향로의 주인이다. 세이지도 잘 아는 그 남자는 벌써 오랫동안 행방이 알려져 있지 않다. 오코에게 향로의 행방을 추적하는 일은 남자의 행방을 찾는 일이기도 하다.

'향로가 발견된다고 해도 만날 수 있다는 보장은 없어. 누나도 알고 있을 거야. 그래도 찾아야만 하는 거겠지.'

생각에 빠져 내내 다다미만 쳐다보다가 문득 정신을 차려 보니 방 안에서 목소리가 들렸다. 이번에는 자기 이름도 등장했다.

"저런, 동생이 생각에 빠졌군. 세이지답지 않네. 어디 몸이라도 아픈가? 아니면 또 누군가를 생각하나?"

킥킥킥, 하는 웃음소리가 들리자 왠지 낯이 뜨거워졌다. 힐끔 오코 쪽을 보니 이쪽은 쳐다보고 있지도 않았다. 그게 전부였지만 갑자기 부상신이 너무나 미워졌다.

"어, 뿔난 얼굴인걸."

"세이지도 듣고 싶지 않은 얘기가 있나 보군. 특히 오코에 대한 얘기는……."

세이지는 물품들이 있는 선반으로 다가가 노테쓰가 들어 있는 나무 상자를 붙잡아 구석으로 휙 던졌다. 다른 상자도 던지려고 하자 머리 위에서 나무 상자들이 와르르 떨어졌다. 그것들도 던져 버리고 발로 걷어찼다. 그러자 또 떨어졌다. 넓지도 않은 이즈모야 내부가 순식간에 엉망진창이 되었다.

"세이지, 왜 이래. 그만둬!"

오코의 목소리를 듣고도 세이지는 손을 멈출 수 없었다. 평소라면 작은 소리 하나에 그쳤을 부상신들의 대화가 희미한 소리로 계속되었기 때문이다.

"바보 같으니."

"세이지는 정말 멍청해."

"업둥이가 엉뚱한 꿈을 품고 있다니."

세이지의 표정이 더욱 험악해졌다.

그때 세이지의 따귀에 손이 날아왔다. 흠칫 놀라 멈춘 세이지의 눈앞에 오코가 사나운 표정으로 서 있었다.

"세이지! 장사할 물건들을 집어던지다니, 가게를 망칠 셈이야?"

오코는 고개를 옆으로 휙 돌려 선반을 노려보았다. 이번에야말로 가게 안이 조용해졌다. 오코가 비와 걸레를 동생 눈앞에 내밀었다.

"선반과 매대를 깨끗이 정리해. 하는 김에 다른 물건들도 잘 닦아 두면 좋겠어."

그 말에 세이지는 자기가 던진 나무 상자 더미를 쳐다보고 잠시 멍한 얼굴이 되었다. 오코가 화를 낼 만도 하다. 하지만 저도 모르게 우는 소리가 흘러나왔다.

"뭐? 이걸 다 닦으라고? 너무해."

"하, 세, 요!"

오코가 단호하게 나오면 거스를 수 없다. 이날 이즈모야는 보기 드물게 깨끗해지고 물건들은 반질반질해졌다.

그런데 세이지가 네쓰케 건에서 손을 떼려던 바로 그때 쥐 네쓰케가 불쑥 등장했다.

발견한 사람은 놀랍게도 오키노였다. 잘 아는 유녀가 나카초에서 손님에게 받았다고 한다. 자기가 직접 알리면 세이지가 수고료를 받지 못할 수도 있다며 굳이 이즈모야에 알려 주었다.

"오키노 씨는 친절도 하지."

세이지는 오키노에게 고맙다고 인사하고 네쓰케를 가지고 있는 유녀에게 이즈모야에 있던 머리빗장식빗처럼 생긴 머리 장식과 바꾸자고 제안했다. 어차피 쥐 네쓰케는 남성용 장식이므로 유녀는 기꺼이 교환해 주었다.

이즈모야로 가지고 돌아와 보니 네쓰케는 가쓰사부로가 말한 대로 훌륭한 세공품으로, 진짜 쥐처럼 보였다. 선반에 둔 순간부터 부상신들의 목소리로 가게 안이 시끌시끌해졌다. 그러자 쥐 네쓰케까지 말을 하기 시작했다. 제 발로 달아났다는 네쓰케는 역시 부상신이었는지 리큐라고 자기 이름을 밝혔다.

"가쓰사부로 님 방에서 강탈당할 때는 정말 무서웠어요. 가쓰사부로 님과 도적이 진검을 빼들었거든요. 내 몸뚱이가 두 동강 날 줄 알았어요."

그 목소리는 귀여웠지만 모두들 의문을 내놓았다.

"가쓰사부로 님이 도적을 제압했다고 들었는데 왜 무서웠지?"

고이의 물음에 리큐가 곤혹스러운 투로 대답했다. 말하고 싶은 것이 있지만 제대로 표현하지 못하는 듯했다.

"가쓰사부로 님 행동이 이상했어요. 방으로 돌아와 도적과 맞닥뜨리고도 잠시 도적과 마주 보고만 있었거든요."

"……고함도 지르지 않았나? 당장 제압하려고 하질 않았다고?"

"네. 때마침 들어온 하녀가 비명을 지를 때까지는. 그때부터 제압하려고 하긴 했는데 결국 놓치고 말았지요. 도적은 나를 품고 도망쳤어요."

오히메가 당혹감이 묻어나는 소리로 말했다.

"뭐? 리큐가 제 발로 도망친 게 아니었어?"

"아뇨. 그날은 평범한 물건처럼 얌전히 있었거든요."

도적은 돈을 빌린 유곽의 유녀에게 리큐를 주었다. 그것을 오키노가 발견한 것이다.

"그럼 어째서 가쓰사부로 님은 리큐가 제 발로 도망쳤다고 했지?"

오히메가 물어도 리큐 역시 모르는 일이니 대답할 길이 없다. 부상신들이 저마다 이유를 추측하고 있는 가게 안에서 세이지는 뭔가를 곰

곰이 생각하며 쥐 네쓰케를 지그시 쳐다보았다.

그러더니 불쑥 오코에게 물었다.

"그렇다면 누나. 결국 네쓰케 리큐나 가쓰사부로 님 둘 중에 하나는 거짓말을 했다는 얘기가 되는데."

"흠…… 그러네."

오코가 고개를 끄덕였다. 세이지는 선반에 놓인 네쓰케 리큐를 가리켰다.

"정말 잘 만든 물건이야. 어둑한 곳에서 보면 나라도 진짜 쥐라고 생각했을 거야."

어쩌면 가쓰사부로도 예전에 비슷한 착각을 했던 게 아닐까?

"그래서 쥐 네쓰케는 도난당한 것이 아니라 제 발로 도망쳤다고 부친이나 형한테 졸지에 거짓말했는지도 모르지. 도적에게 네쓰케를 빼앗겼다고 말하고 싶지 않아서……."

"도적을 비호했다는 거야? 어째서?"

오코는 고개를 갸웃거렸다. 세이지가 화로의 재 위에 사람 이름을 쓰기 시작했다. 오코가 옆으로 다가가 보니 재에 적힌 글자는 네쓰케와 관련이 있는 사람들의 이름이었다.

가쓰사부로, 사나에, 전 약혼자, 사쿠마가의 부친, 형인 유노스케, 하치야가, 그리고 오키노였다. 이들은 가쓰사부로의 혼담과 어떤 관련이 있을까.

이즈모야 내부에 침묵이 더욱 깊어져 갔다.

5

이튿날에도 하늘은 화창했다.

청명한 하늘빛은 더 밝아졌다. 후카가와 수로변에는 목재가 일정한 간격으로 쌓여서 아름다운 나뭇결이 보인다.

세이지는 아침 일찍 볼일을 보러 강을 건넜다. 수로변으로 돌아와 보니 심부름꾼을 시켜 전달한 편지를 받았는지 가쓰사부로가 가게 안 8첩 방에서 기다리고 있었다.

"놀랐네. 쥐 네쓰케를 찾았다고?"

그런데도 자신은 스오라는 향로에 대해서 무엇 하나 알아내지 못해서 미안하다고 말했다.

"향로가 그리 쉽게 나올 거라고는 생각하지 않습니다. 신경 쓰지 마십시오, 가쓰사부로 님."

세이지가 빙긋이 웃고 맞은편에 앉았다. 오코가 차를 새로 타서 두 사람에게 내주었다. 세이지는 네쓰케가 유녀에게 넘어가 있었다고 설명했다.

"호오, 어떻게 그런 곳에?"

아무튼 발견되어 다행이라고 말하며 가쓰사부로는 주위를 둘러보았다. 실내 어디에도 네쓰케 같은 것은 보이지 않았다. 네쓰케를 보고 싶다고 하자 세이지가 고개를 저었다.

"여기에는 없습니다."

"없어? 그럼 어디에 있지?"

"조금 전 하치야가 저택에 사쿠마 가쓰사부로 님이 보냈다고 하며 돌려 드렸습니다."

데릴사위로 들어가는 날 하치야에게 정식으로 받는 형식을 밟고 싶다. 그리하면 마음가짐도 새로울 테고 하치야가 사람이 되었다는 자각도 깊어질 거라고 하며 돌려주었다. 하치야가에서는 흔쾌히 받아 주었다.

"왜 그런…… 시키지도 않은 짓을……."

가쓰사부로가 눈을 휘둥그레 떴다. 하카마를 꽉 움켜쥔 손이 희미하게 떨고 있는 것 같았다.

"잘한 일 아닌가요? 하치야가에 있으면 분실할 일도 없고 네쓰케를 노리고 도적이 침입할 일도 없을 테니까요. 응? 왜 그러세요? 얼굴이 조금 굳으셨군요."

세이지가 빙긋이 웃었다.

"네쓰케가 발견되어 기쁘지 않으십니까? 찾아 달라고 하신 것은 가쓰사부로 님입니다. 뭐, 이렇게 초라한 대여점 따위가 정말 찾아낼 거라고는 생각지 않으셨겠지만."

가쓰사부로는 입술을 깨물고…… 하지만 이내 표정을 누그러뜨렸다.

"변죽만 울리는군, 세이지. 다 아는 얼굴인데, 정말인가? 어디 얘기 좀 해 보게."

그렇게 재촉하자 세이지는 방구석에 놓인 물품들을 힐끔 쳐다보았다. 물론 지금은 다들 침묵하고 있다. 그는 오코를 쳐다보며 고개를 끄덕인 뒤 입을 열었다.

"네쓰케가 표적이 된 첫 번째 원인은 하치야가의 장남이 타계했기 때문이지요."

약혼한 사나에게 이미 약혼자가 있었다는 것, 그 남자에게 여전히 편지가 온다는 것을 고하자 가쓰사부로는 세이지가 그 사실을 알고 있다는 데 놀라는 기색이었다. 그러나 이런 것들은 가쓰사부로도 알고 있는 듯했다. 그리고 가쓰사부로의 결혼을 가로막는 것은 그것만이 아니었다.

"가쓰사부로 님은 도적을 발견하고도 즉각 행동하지 않았죠. 하녀가 와서 비명을 지를 때까지 잠자코 있었어요. 어째서일까요?"

"오, 그랬던가."

시치미를 떼는 가쓰사부로의 목소리에 힘이 없었다.

"다이묘 저택은 아주 넓지만, 상번저는 제가 말로만 듣는 하번저처럼 정원만 있는 것은 아닙니다. 사람도 많아서 도둑이 숨어들기가 의외로 어렵죠. 더구나 금고나 여자들만 있는 안채가 아니라 가신의 집이나 차남이 지내는 북향 방에 도둑이 들었다는 것은, 생각해 보면 이상한 일이지요."

누군가 안내를 해 주었거나 집안 식솔이 몸소 행동했으리라는 추측이 가능하다. 어느 경우든 내부 인물이 관여하지 않고서는 일어날 수 없다.

"그리고 네쓰케는 허드렛일을 하는 일꾼이 훔쳐서 내다 팔 정도로 값비싼 물건은 아니었어요. 가쓰사부로 님 혼담을 추진하는 부모님께서 그런 짓을 할 리도 없고요."

남은 것은 한 사람.

"네쓰케 도둑은 형님이신 유노스케 님이겠죠?"

"이봐, 세이지, 내 식구를 도적으로 모는가?"

한순간 가쓰사부로의 몸에서 살기가 흘렀다. 그가 벌떡 일어섰다. 방 안에 팽팽한 긴장감이 흐르고 선반이 미묘하게 바르르 떨었다.

그러나…….

노기는 바람처럼 사라졌다. 가쓰사부로는 다시 털썩 앉아 길게 한숨을 지었다. 그대로 잠자코 있자 세이지는 하던 말을 계속했다.

"가쓰사부로 님을 진심으로 생각해 주는 분과 맺어 주시려고 형님인 유노스케 님이 네쓰케를 훔치려고 했겠죠? 네쓰케가 없으면 이 혼담이 깨집니다."

이 이야기를 듣고 가쓰사부로가 후후, 웃었다. 어딘지 지친 듯한 웃음이었다. 세이지의 짐작은 보기 좋게 빗나간 듯했다.

"황당하군. 있어 봐야 돈이나 쓰는 내가 집을 떠나는 날은 형님도 기다리고 있었어. 게다가 하치야가와 혼담이 깨지면 사쿠마가가 몹시 곤란한 처지로 몰리게 돼. 그러니까……."

"그럼 유노스케 님은 왜 네쓰케를 훔치려고 하신 겁니까? 가쓰사부로 님은 언젠가 무가의 공격을 받은 적이 있죠. 그 무가도 필시 형님의 지인일 겁니다. 가쓰사부로 님의 행적을 알지 못하면 공격할 수 없었을 테니까요."

그렇게 묻자 가쓰사부로는 낯을 붉히며 말끝을 흐렸다. 입 언저리가 굳어졌다. 세이지는 이야기를 계속했다. 마침내 결론이었다.

"그러면 유노스케 님께 문제가 됐던 것은 동생의 약혼녀가 부유한 하치야가의 상속권을 가진 딸이라는 사실이었나요? 유노스케 님의 의도가 어느 쪽인지 저도 헛갈립니다만."

그렇게 말한 순간 가쓰사부로가 눈을 크게 떴다. 이내 조소가 섞인 웃음이 입가에 떠올랐다. 숨을 한 번 크게 쉬고 이번에는 재촉하기도 전에 아까 하던 이야기를 계속했다.

"하치야가의 봉록은 450석, 우리 사쿠마가의 배가 넘어. 유서 깊은 가문이기도 하고. 형님은 형편없이 얕잡아 보던 곁방살이 동생이 자기보다 유복하고 지위 높은 가문의 당주가 되는 것이…… 못 견디게 싫었던 거지."

네쓰케를 훔치면 부친이 면목을 잃고 집안이 곤경에 처하리라 짐작하면서도 유노스케는 자신을 제어할 수 없었던 것이다.

"실제로 네쓰케를 훔치러 내 방에 들어온 자는 형님의 친구였네. 형님이 돈을 모으고 있다는 얘기를 들은 적이 있어. 그 돈을 받고 움직였겠지."

가쓰사부로는 잠시 이야기를 멈추고 식은 차를 단숨에 비웠다. 세이지가 물었다.

"하나 더 묻고 싶군요. 가쓰사부로 님은 제압한 도적의 정체를 통해 형님이 시킨 짓임을 알았겠지요? 그런데 네쓰케를 빼앗기고도 형님 짓이라는 사실을 아무한테도 말하지 않았어요."

그뿐인가, 처음에는 네쓰케가 요괴처럼 제 발로 도망쳤다고 말했다. 그 말이 통하지 않자 조닌도시에 사는 상인과 기술자들. 가난한 도시 서민과는 구별된다인 이즈모야에게 수색을 요청하고 자기는 손을 빼 버렸다. 절도를 사주한 형을 구하기 위해 움직인 꼴이다.

"어째서입니까?"

"호오, 거기까지는 모르겠다는 건가?"

가쓰사부로가 세이지 쪽으로 상체를 쓱 기울였다. 재미있어하는 표정이다.

"……가쓰사부로 님은 이번 혼담이 깨져도 좋다고 생각하시겠지요?"

"호오, 호오. 동생을 얕잡아 보는 형님에게 복수할 마음은 없느냐고? 내가 왜 그래야 하지?"

"혼담 상대인 사나에 님은 전 약혼자만 생각할 뿐 가쓰사부로 님은 관심 밖이고, 형님은 동생의 혼담을 질투하는데다가, 부친께서는 집안에 보탬이 되는 데릴사위 자리라며 가쓰사부로 님 의견은 제쳐 두고 혼담을 정해 버렸으니까요."

도저히 기뻐할 수 없는 상황이었으리라. 그러나 데릴사위 자리를 거절할 수 있는 처지도 아니다. 그러던 차에 네쓰케를 도난당한 것이다.

"이제 될 대로 되라는 기분이셨던 게 아닙니까?"

사쿠마가나 하치야가나 유노스케나 사나에나 그 전 약혼자나 깡그리 홍수에 쓸려 가 버렸으면 좋겠다고 생각하지 않았을까? 그래서 조닌에게 수색을 청하는 척했지만, 실은 결혼 날짜가 닥쳐서 상황이 어쩔 수 없어질 때까지 방치해 둘 작정이었던 것이다.

그게 맞지요? 하고 확인하자 가쓰사부로가 낮은 소리로 웃기 시작했다.

"이런, 오키노가 엉뚱한 대여점을 소개했군. 정말로 네쓰케를 찾아내다니, 뜻밖이었네. 덤으로 네쓰케를 하치야가에 건네주고 말았고. 앞으로 어떻게 될까나."

웃음은 계속되었다. 그런 가쓰사부로의 바로 앞 다다미를 갑자기 오코가 탁, 하고 쳤다.

"뭐, 뭐지?"

"별 뜻 없습니다. 저희 대여점이 네쓰케를 찾았으니 약속한 수고료를 주셨으면 해서요."

"사실대로 말하면 찾아 주지 말았으면 했는데."

"그러셨겠죠. 그래도 수고료는."

오코가 내민 손을 내려다보며 가쓰사부로가 길게 한숨을 지었다. 그리고 뭐라고 투덜거리며 품에서 어렵게 지갑을 꺼냈다. 그 지갑이 너

무나 가벼워 보여 세이지는 저도 모르게 쓴웃음을 짓고 말았다. 곁방
살이 차남으로서 평소의 검소한 생활을 엿볼 수 있는 지갑이었다.

"가쓰사부로 님, 제가 한말씀 드려도 괜찮겠습니까."

"또 뭔가, 세이지?"

못마땅한 표정으로 가쓰사부로는 외면하고 있었다. 앞으로 부모와
형, 그리고 약혼녀와도 대치해야 한다. 피할 수 없는 내일이 기다리고
있다. 그런 고민에 빠져 있었는지도 모른다.

"네쓰케를 찾다가 소문을 들었는데, 사나에 님의 전 약혼자는 벌써
다른 여자와 결혼한 모양입니다. 집안에서 정해 주었겠지요."

가쓰사부로의 얼굴이 세이지 쪽으로 돌아왔다.

"……그래서?"

"어여쁘다고, 말씀해 드리세요."

"뭐?"

"사나에 님 말입니다. 연이 닿아 맺어졌으니 그 정도는 말씀해 드려
야 합니다. 남자니까요."

흠칫 놀라 입을 다물어 버린 가쓰사부로에게 세이지는 하고 싶은 말
을 기탄없이 늘어놓았다. 뒤쪽 선반에서 나무 상자가 희미하게 딸각거
리는 소리를 냈다.

"집안에 휘둘리는 것은 가쓰사부로 님만이 아닙니다. 게다가 사나
에 님은 정말로 용모가 출중하시다니 걱정은 필요 없지요."

그 말을 듣고서야 가쓰사부로는 작은 소리로 "음" 하고 말했다. 이유

야 어찌 됐든 사나에는 약혼자를 잃었다. 비통할 것이 틀림없는 여자의 마음을 가쓰사부로는 비로소 생각해 보는지도 모른다.

"주변 사람들이 하나같이 볼썽사납게 집안 체통에 얽매여 있습니다. 가쓰사부로 님도 그것을 불만스럽게 생각하시지만 가문을 버리거나 하지는 않으시지요? 오키노 씨에게 같이 도망가서 살자고 말씀하신 적은 없잖습니까."

무사이므로 생계 수단을 가질 수 없고, 혼자서 살아갈 수 없다면 가문이 주는 무게를 감당하는 수밖에 없다.

"혼자서 지기에 가문의 무게가 버겁다면 둘이서 짊어지는 겁니다. 그래서 부부가 되는 거죠. 두 분이라면 의외로 가볍게 감당하실지도 모릅니다."

"……글쎄. 머리로는 알지만 감정이 따라줄 거라는 보장은 없으니까."

가쓰사부로는 조소하듯 입가를 끌어올렸지만 그래도 오누이에게 "고생 많았네"라는 한 마디를 남기고 이즈모야를 떠났다. 힘없는 모습으로 수로변을 걸어가는 뒷모습을 오코는 내내 바라보았다. 네쓰케 건이 끝난 것이다.

"그런데 사나에 님과 무사히 결혼하게 되실까."

"형 유노스케 님도 하치야가에까지 손을 뻗치지는 못하겠지. 아무튼 겉으로는 경사스러운 혼인이 될 거야, 틀림없이."

뒷일은 두 사람에게 달렸다. 세이지의 대답에 오코가 고개를 갸우뚱거렸다.

"근데 세이지 너, 쓸데없이 친절하더구나. 왜 그랬어?"

"글쎄. 나도 모르겠네."

세이지는 그렇게 대답하고 가게 일을 시작했다.

하지만 저녁 때 가게가 조용해지자 다시 주인 없는 목소리들이 이즈모야에 울렸다.

"세이지는 오늘 이상하게 친절했어."

"남녀 간의 참으로 복잡 미묘한 이야기니까. 세이지는 딱하게 여긴 거야. 남일 같지가 않았던…… 악."

세이지는 재빨리 선반으로 다가가 네쓰케 나무 상자를 잡고 쾅 내리쳤다. 노테쓰 목소리가 뚝 끊겼다. 그것을 본 오코가 못마땅한 얼굴이 되었다.

"세이지, 장사하는 물건은 소중히 다루라고 그렇게 얘기했건만."

세이지가 안으로 도망쳐 들어가 가게가 조용해지자 다시 부상신들이 소곤대기 시작했다.

이즈모야의 하루하루는 늘 이 모양이었다.

우라하야나기

우라하야나기 :
이 소설에 등장하는 청자 향로의 이름이자,
버드나무 잎 뒷면의 연두색과 같이 연한 노랑을 머금은 연녹색을 뜻한다.

1

저는 우라하야나기裏葉柳라고 합니다.

인간 같은 이름을 갖고 있지만…… 그래요, 원래는 인간이었습니다. 이래봬도 생전에는 훤칠한 청년이었지요.

그런데 말입니다, 잠시 들어 보시겠습니까. 눈물 없이는 말할 수 없는 비극입니다. 초대 단주로市川團十郎 17세기 말의 대표적인 가부키 배우 이치카와 단주로의 〈다이후쿠초산카이나고야大福帳参会名護屋〉 같은 가부키를 함께 보러 가던 사랑하는 여자가 있었는데, 제가 병에 걸려 너무나 이르게 세상을 뜨고 만 것입니다.

너무 젊어 악을 행할 시간이 없었다고 해야 할지, 평소 행실이 발랐으니 바로 부처님 계시는 정토로 가야 마땅했습니다.

하지만 그러지 못했습니다.

제 연심은 스스로 생각했던 것보다 더 깊은 익곬이었던 모양입니다. 이내 육신을 다 바쳐 일편단심으로 사랑했던 겁니다. 그런 나날이 다시 오지 않는구나 생각하니 괴롭더군요. 사랑하는 여자를 두고 부처님 곁으로 갈 수는 없었습니다.

그런데 마침 숨을 거둘 때 베갯맡에 아끼던 청자 향로가 있었고, 저는 그 향로에 영으로 깃들고 말았습니다.

향로는 아주 훌륭한 물건이었습니다. 흔히 볼 수 있는 청자보다 밝은 색조를 띠고 있었지요. 초봄의 버드나무 잎 뒷면 같은 색이어서 우라하야나기라는 이름을 받고 귀하게 여겨지던 물건입니다. 그런데 제가 깃든 뒤로 향을 피우면 사람 그림자가 어른거린다는 소문이 났지요. 그래서 향로는 중고품점에 팔려 버렸습니다.

후카가와의 중고품점 겸 대여점인 이즈모야에 자리를 잡게 된 것입니다. 이 가게에 와서 놀랐습니다. 아주 재미있는 곳이었거든요.

무엇보다 여기 갖춘 물품들을 보세요! 하나같이 평범한 분들이 아니거든요. 흔한 말로 요괴라고 해야 하나요? 물건이 나이가 들어 백 년을 헤아리면 변한다고 하는 그것 말입니다. 부상신이라고 들었습니다. 쓰쿠요미 씨, 노테쓰 씨, 오히메 씨, 고이 씨, 우사기 씨 등이 다 그런 분들입니다.

가게에 계신 분들을 알게 되고 대화에도 참여할 수 있어서 정말 즐겁습니다. 덕분에 여기저기 나도는 소문도 얻어들을 수 있습니다.

어디 사는 아가씨는 미녀로 소문났지만 실물을 보니 박색이었다든가, 어느 가게의 주인은 하녀를 임신시켜 놓고 차 버렸다든가. 부상신 분들은 발도 참 넓더군요.

다만 가게 계산대에서 이즈모야의 주인 오누이가 종종 이야기를 듣곤 하는데 딱 하나 명심해야 할 사항이 있다고 합니다. 인간과는 말을 섞지 않기로 정해져 있더군요. 하기야 인간은 인간일 뿐 요괴도 기이한 존재도 아니니까요.

하지만 이즈모야의 오누이는 우리가 나누는 이야기에 흥미를 느끼는 기색이었어요. 정말 재미있는 가게입니다.

2

이즈모야는 오코와 세이지 오누이가 에도 후카가와에서 조용히 꾸리는 가게로, 중고품점 겸 대여점이다.

대여점이란, 솥, 냄비, 이불, 옷, 심지어 훈도시처럼 설마 이런 물건까지, 하고 놀랄 정도로 다양한 물품을 저렴하게 빌려주는 곳이다. 에도에는 이런 대여점이 꽤 많다.

화재가 잦은 도시이기 때문이다. 게다가 에도 후카가와 지역은 종종 수해까지 입는다. 그러다 보니 가재 집기를 사들여도 재난이 닥치면 피난할 때 방해만 된다며 일상에 필요한 물품은 구입하기보다 빌려서 쓰자고 생각하는 사람이 많아졌다.

덕분에 이즈모야는 제법 잘되고 있다. 특히 요즘 들어서 바쁘다. 하지만 온갖 물품이 있는 이즈모야에도 오늘 첫 손님이 요청한 물건은 없었다. 누가 빌려가서 없는 것도 아니다.

"……귀신을 물리치는 부적이라고요?"

활짝 갠 오후, 세이지는 손님의 요청을 재차 확인했다.

마흔 살쯤으로 보이는 손님은 옷차림이 나쁘지 않은 걸 보니 작은 가게의 주인이거나 큰 가게의 지배인 같다.

'대여점을 오래 했지만…… 이런 주문은 처음이네.'

하지만 손님의 모습은 매우 진지했다. 그렇다면 이쪽에서도 진지하게 대응하는 수밖에 없다. 세이지는 그런 대단한 부적이 가게에 있었나 싶어서 일단 생각해 보았다.

'역시 우리 가게에는 없는데.'

생각을 해 보나마나 애초에 이즈모야하고는 인연이 없는 물건이었다.

'귀신을 물리치는 부적을 들여놓으면 가게에 있는 특이한 놈들이 화를 낼 테지. 마음이 상해서 부적을 찢어 버릴 게 틀림없어.'

누구한테도 말한 적은 없지만…… 이즈모야에 들어오는 오래된 중고품에는 부상신이 여럿 깃들어 있다. 그런 가게에 귀신을 물리치는 부적을 놔둘 리가 없다. 세이지는 재고가 없다고 분명히 고하고 부적이라면 절에라도 가 보는 게 어떠냐고 권했다.

"우에노에 귀신 퇴치로 유명한 고토쿠지라는 절이 있습니다. 거기서 부적을 구입할 수 있어요. 네? 공짜냐고요? 아뇨, 시줏돈이 정해져 있어요. 부적 요금으로 받는 거죠."

부적은 꽤 고액이라고 들었다.

"참 악착같은 절이군요."

손님은 시줏돈 이야기에 조금 놀라면서 말하고는 고개를 숙이고 잰걸음으로 가게를 떠났다. 곧장 우에노로 가려는 것 같았다.

"저 손님, 부적이 급한 모양이네. 어디다 쓰려는 걸까?"

손님 모습이 사라지자 계산대에 있던 누나 오코가 얼굴을 들었다.

"귀신이라고 했던 것 같은데."

아무래도 흥미로운 사연이 있는 손님 같았다.

"차라도 한 잔 내주고 사연을 들어 볼 걸 그랬나봐."

"누나, 가게가 전에 없이 바쁘잖아. 봐, 쓰루야에 갈 시간이 다 됐어."

"어머, 그러네."

오코가 조금 아쉬운 듯 가게 앞 도로로 눈길을 돌렸다.

쓰루야라는 사람이 최근 후카가와에 가게를 구입했다. 몇 년 전 나돈 독감으로 부모를 여의었다는데, 이번에 조부마저 여의고 목돈을 상속받게 되어 요릿집을 차리기로 했다는 것이다.

개업 준비는 아직 끝나지 않았지만 쓰루야는 장사를 시작하기 전에 그동안 신세진 사람들을 초대하여 개업 축하연을 연다고 한다. 그래서 연회를 위한 주방 용품이나 실내를 장식할 물품들을 이즈모야에서 대량으로 빌리고 있었다.

오누이는 오늘도 연회 물품을 쓰루아에 납품하러 가야 했고, 가는 김에 연회 준비도 잠시 거들기로 했다. 그러니 이즈모야에서 마냥 노닥거리고 있을 수는 없었다.

"간만에 재미있는 이야기를 듣나 했는데."

오코가 가만히 한숨을 흘렸다. 요즘 오누이는 좋은 손님을 잡았는데도 기분이 가라앉아 있었다. 가게 선반에서 종종 멋대로 떠들어대는 부상신들의 이야기를 들었기 때문이다.

우라하야나기입니다. 얼마 전 재미있는 경험을 했답니다.

이즈모야는 대여점입니다. 가게에 있으면 다른 곳에 대여되는 것이 소임이지요. 저도 처음으로 어떤 곳에 불려 갔습니다.

다른 부상신들도 함께여서 별로 두렵지 않고 흥미로웠습니다. 게다가 대여된 곳에는 그곳만의 진기한 이야기가 있었던 것입니다.

가령 전에 우리를 시험 삼아 대여했던 쓰루야 말입니다. 그 가게에서 정말 많은 일이 있었죠. 가게의 말차 다완과 이야기를 나눌 기회가 있었는데, 쓰루야에 여자 귀신이 나온다고 하더군요. 신관을 불렀는데도 물리칠 수 없었다는 겁니다.

곤란해진 전 주인은 여자 귀신 이야기를 감춘 채 외지인인 쓰루야 씨에게 가게를 집기까지 같이 통째로 팔아 버렸다는 겁니다. 팔아 치운 쪽은 안도했겠지만, 쓰루야 씨는 앞으로 어떻게 될까요. 아무리 모르는 게 약이래도 말이죠.

너무 심한 짓이라고요? 그러게요, 오히메 씨. 인간은 종종 요괴조차 생각지 못할 만큼 악질적인 짓을 저지릅니다. 그런 놈이 가게 주인입네 하고 살고 있으니 세상은 참 무서운 곳입니다.

오, 이즈모야의 오누이가 우리 이야기를 듣고 있군요. 괜찮을까요? 네? 걱정할 필요 없다고요? 두 사람은 가게 물품 중에 예사롭지 않은 게 섞여 있다는 걸 잘 알아서 놀라지 않는군요. 그렇게 대응하기로 작정했다니 분별 있는 오누이네요.

사실 두 사람이 하루하루 돈을 벌며 살아갈 수 있는 것도 우리들이 얌전히 대여되어 주기 때문이지요. 오누이는 그 점을 잘 알고 있으니 이 가게에 부상신이 모여드는 거겠죠.

네, 뭐라고요? ······아무래도 요즘 이즈모야의 오누이는 부상신들만 골라서 대여하는 것 같다고요?

왠지 이용당하는 것 같아 기분이 좀 그렇군요······. 하지만 그렇게 대여되는 곳에 재미있는 이야기가 굴러다니는 경우가 많기는 하죠. 그래요, 외출은 즐겁습니다. 앞으로는 저도 연인을 찾는 김에 여러분을 즐겁게 해 드릴 수 있는 소문도 하나쯤 건지고 싶습니다.

그나저나 제 연인은 지금 어디에 있을까요. 헤어지고 얼마나 세월이 지났는지…… 아아, 이젠 저도 생각나질 않네요. 어디든 이 몸이 대여되어 가는 곳에서 그녀를 잘 아는 사람의 혼잣말이라도 들을 수 있으면 좋으련만.

목소리는 그것으로 그쳤지만 세이지와 오코는 얼굴을 마주보고 말았다.

"쓰루야 씨의 가게는 귀신으로 유명한 곳이었네. 이런! 놀라운 얘기를 듣고 말았어."

알고 난 이상 쓰루야 앞에서 귀신 이야기를 모르는 척하기는 어렵겠다. 그렇지만 부상신한테 들은 이야기라고는 도저히 말할 수 없다. 오누이는 쓰루야에 납품할 물건들을 보며 한숨을 지었다.

3

손님이 왔으므로 오코가 가게를 맡고 세이지는 고민을 품은 채 이즈모야를 나와 그리 멀지 않은 쓰루야로 향했다. 오늘은 객실을 장식할 물건들을 가져다주기로 한 날이다.

아직 개업 전인데 요릿집의 외관은 이미 완성되어 있었다. 필요 이상으로 격식을 차리지는 않았지만 갈대발이 걸린 차야 같은 가게보다는 고급스럽고 적당히 세련된 단독 건물이었다.

'평소 고급스러운 요릿집을 멀리하는 사람이 사교상 요릿집을 이용하고 싶을 때 가볍게 이용할 수 있겠군.'

귀신이 나오지만 않는다면 인기를 끌 수 있겠다.

쓰루야가 이즈모야에서 물품을 빌리기 시작한 지 한 달. 젊은 쓰루야는 오늘도 싹싹했다. 가냘픈 체구의 부지런한 젊은이였다. 나이 차이가 많이 나지 않는 세이지와 쓰루야는 이제 지인이라기보다 친구에 가까운 사이가 되어 있었다.

"쓰루야 씨, 이 가게를 아주 저렴한 값으로 인수했다고 했죠?"

객실에 이즈모야의 도코노마 장식품들을 가져다 놓으며 세이지가 짐짓 가볍게 물었다.

"그래요. 나 같은 애송이가 이렇게 커다란 가게를 인수했으니 운이 좋았죠."

쓰루야는 소문난 귀신을 아직 만나지 못했는지 싱글벙글 웃고 있다.

'분명히…… 귀신이 나온다고 했는데.'

조금 전 새삼 실내를 살펴보았다. 매우 잘 지어진 집이다. 터도 나쁘지 않고 면적도 넓었다. 귀신만 아니라면 근처 가게들보다 싸게 팔 이유가 없었다.

"왜 그렇게 싸게 파는지 물어보았어요?"

"어떻게든 빨리 팔고 싶었다고 하더군요."

느긋하게 웃는 쓰루야에게 뭐라고 이야기를 꺼내야 할지 몰라서 세이지는 말문이 막혔다. 쓰루야는 지난 몇 년 사이 가족을 다 잃었다고 들었다. 의지할 데가 없어 소심해진 마음을 다잡고 가게를 시작하려는 것이다. 이럴 때 찬물을 끼얹는 짓은 하고 싶지 않다. 하지만 내버려 두면 쓰루야는 자기도 모르는 귀신 때문에 장사를 망칠지도 모른다.

"이 가게는 누구에게 인수한 겁니까?"

"아, 방물가게를 하시던 오쿠마야라는 분입니다. 행상으로 시작해서 대로변에 가게를 낸 분인데, 이번에 이 가게를 처분하고 니혼바시에 가게를 차린 겁니다. 엄청 출세하신 거죠."

그 기운을 받고 싶다며 쓰루야는 가볍게 웃었다. 세이지는 미간을 잔뜩 찡그렸다.

'역시 오쿠마야는 발 빠른 장사꾼인가. 말 못할 약점이 생긴 가게를 젊은 쓰루야 씨에게 떠넘길 정도로 뻔뻔한 자겠군.'

비열한 놈이 틀림없다. 세이지는 참지 못하고 쓰루야에게 귀신 소문을 전하려고 했다. 하지만 막 말을 꺼내려는데 쓰루야가 갑자기 볼일이 생각났다며 가게 앞으로 나가 버렸다.

'이런, 하필 이럴 때.'

하는 수 없이 세이지는 객실을 장식하는 작업으로 돌아갔다. 개업 축하연에 쓰일 방은 아니지만 가장 좋은 객실이므로 주인은 빨리 정돈해 두고 싶다고 했다. 그래서 오늘 이즈모야의 물품 중에서도 좋은 것으로 몇 가지 준비해 왔다.

그런데. 문득 주위가 싸늘해지는 것을 느꼈다. 겨울 아침 같은 냉기가 아랫도리를 쓰윽 지나갔다.

'뭐지? 이 섬뜩한 냉기는…….'

낯을 찡그리는 순간 이번에는 온몸이 부르르 떨렸다.

'뭔가 있다.'

세이지는 뿌리쳐 버리고 싶은 감촉을 견디며 천천히 몸을 돌려 방 안을 살펴보았다.

세련된 객실은 다다미 12첩 정도나 될까. 이상한 것은 없었다. 그러나 냉기는 가시지 않는다. 떨림은 더 심해지고 있다.

'어떻게 된 거지……?'

희미한 기운을 느끼고 세이지는 눈을 천천히 천장으로 올렸다. 저도 모르게 목소리가 흘러나왔다.

"어어, 저게 뭐야."

한낮인데도 기괴한 것이 보였다.

주위가 밝은 탓인지 형상은 뚜렷하지 않지만 하얀 선이 떠 있는 듯 했다. 그것은 높고 낮게 고리를 그리며 날아다니고 있었다. 가만히 살펴보니 하얀 빛 중간에 얼굴이 있는 것처럼 느껴졌다. 등줄기가 오싹하며 전율이 치달았다.

'으으…… 검은 곳이 눈이라고 생각하니 저게 얼굴로만 보이네.'

그 검은 눈이 잠깐 또르륵 움직였다.

'헉.'

분명히 세이지 쪽을 쳐다본 것 같은데…… 아무 일도 일어나지 않았다.

'그렇다면······.'

아무래도 세이지를 해코지하려는 것은 아닌 듯했다. 그러나 그냥 내버려 둘 수는 없다.

'요릿집에 대낮부터 귀신이 나온다면 도저히 장사를 할 수 없지. 어떻게 하나······ 내가 고토쿠지 스님도 아니고.'

시험 삼아 마음을 단단히 먹고 "그만 사라져 주시지" 하며 말을 건네보았다. 하지만 아무 대답이 없었다.

'요괴를 다스리는 경문도 모르는데.'

빛은 천장 근처를 날아다니고 있어서 손도 닿지 않는다. 닿는다 한들 움켜쥘 수도 없겠지만.

'모르는 척 피해 버릴까?'

아니면 고함을 질러 쓰루야 씨를 부를까? 하지만 그 사람이라고 무슨 대책이 있겠는가.

세이지는 한쪽 눈썹을 쓱 치켜들고 그 빛을 쳐다보면서 방구석에 놓아 둔 물건으로 손을 뻗었다. 보퉁이를 풀고 찾아 보니 물건 하나가 눈에 들어왔다.

'이거다!'

쓰쿠요미.

세이지가 손에 잡은 것은 족자 부상신이었다. 평소 이즈모야에서 하는 이야기로 짐작건대 쓰쿠요미는 매우 기품 있는 물건이다. 부상신들끼리 뒷소문을 나눌 때 세이지를 가차 없이 혹평한 적도 있다. 얼마 전에는 이즈모야에 새로 들어온 우라하야나기라는 향로에게 빈틈없이 예의를 가르쳤다.

'쓰쿠요미는 무례한 자를 용서한 적이 없어.'

적어도 세이지가 알기로는 그랬다.

'쓰쿠요미라면 상대가 인간이 아니라도 피하거나 하지는 않겠지.'

그렇게 짐작한 세이지는 쓰쿠요미를 나무 상자에서 꺼냈다. 단단히 묶인 쪽빛 끈을 풀자 족자가 희미하게 부르르 떤 것처럼 느껴졌다.

천장을 돌아보고 심상치 않은 빛을 향해 족자를 내밀었다. "부탁한다" 하고 쓰쿠요미에게 한 마디 건네고 팔을 휘둘러 힘껏 던졌다!

둘둘 말린 족자가 풀리며 안에서 아름다운 달 그림이 나타났다. 족자가 휘익 날아오르며 그 빛과 교차했다.

그 순간!

"꺄악!"

작은 비명소리가 들렸다. 귀신의 비명일까? 쓰쿠요미의 소리였을까?

툭, 하는 소리와 함께 족자가 다다미에 떨어졌다. 천장을 올려다보니 사라졌는지 도망쳤는지 방금 전까지 있던 요상한 하얀 빛은 어디에도 보이지 않았다. 세이지는 숨을 크게 몰아쉬었다.

"일단은 성공인가."

세이지는 일어나 쓰쿠요미를 주웠다.

"악!"

다시 둘둘 말려고 하다가 족자에 손가락이 꽉 끼고 말았다.

'쓰쿠요미가 화가 단단히 난 모양이군. 하긴 그렇게 이용당했으니 화가 났겠지.'

나중에 부상신들한테 무슨 소리를 들을지 두려웠다. 세이지는 다시 한숨을 쉬고 순순히 사과한 뒤 쓰쿠요미를 상자에 돌려 넣었다.

"그나저나…… 굉장한 건 보고 말았네."

환한 대낮이라 형체는 확실하지 않았지만 이 가게에 깃든 존재가 틀림없다. 오쿠마야가 쓰루야에게 떠넘긴 여자 귀신이다.

"대낮에도 나타날 정도로 무서운 귀신이라면…… 당연히 소문이 나겠지."

요리를 즐기러 온 손님이 본다면 도저히 견딜 수 없으리라. 쓰루야는 금세 망할 것이다. 오쿠마야가 급하게 팔아치울 만했다. 세이지는 쓰루야에게 가서 이번에는 귀신에 대해 전했다.

그런데, 기괴한 것을 보았다고 하자 쓰루야는 눈을 휘둥그레 뜨고 말 없이 세이지를 잠시 쳐다보았다. 그러다가 곧 웃기 시작했다.

"이런, 세이지 씨가 의외로 겁쟁이로군요. 이렇게 환한 대낮이에요. 대낮에 출몰하는 귀신이라니, 처음 들어 봅니다. 잘못 봤겠죠."

"아니, 틀림없다니까요…… 왜냐하면."

그러나 말끝을 흐리고 말았다. 부상신들이 듣고 온 소문이니 사실일 거라고는 말할 수 없었다.

'어떻게 하면 좋지?'

세이지가 어떻게 말할지 고민하는데 가게 밖에서 나이 어린 사환이 쓰루야를 불렀다. 연회 날짜가 코앞이라 준비 작업이 바쁜 것이다.

'하지만 쓰루야 씨, 이대로 두면 가게가……'

결국 세이지는 멍한 얼굴로 그 자리에 우두커니 서 있는 수밖에 없었다.

4

어떻게 해야 좋을지 모르겠다. 그런 고민을 품은 채 세이지는 남은 물품들을 챙겨 이즈모야로 돌아왔다.

쓰쿠요미를 비롯한 몇몇 부상신들도 가게 선반에 돌려놓았다. 세이지와 오코 오누이가 계산대에서 듣고 있는데도 부상신들은 개의치 않고 금세 쓰루야 이야기로 이야기꽃을 피우기 시작했다.

물론 제일 먼저 쓰쿠요미가 세이지의 무례한 행동을 폭로하고 모두에게 불평을 털어놓았다. 귀신의 등장과, 쓰쿠요미가 귀신에게 던져졌다는 이야기에 가게 안이 대번에 시끌시끌해졌다. 이러다가 손님이라도 들어오면 큰일 날 것 같았다. 오누이는 가게 문을 일찍 닫는 수밖에 없었다.

하지만 세이지를 향한 비난은 뜻밖에도 금세 끝났다. '어?' 대화는 생각지도 못한 방향으로 흐르기 시작했다. 쓰쿠요미가 전한 귀신 이야기에 우라하야나기가 엉뚱한 이야기를 꺼냈기 때문이다.

"저기요, 쓰쿠요미 씨. 세이지 씨가 쓰쿠요미 씨를 귀신에게 던질 때 나도 짐 속에서 귀신을 보고 있었어요. 그때 문득 생각이 났어요. 그 귀신은 젊은 여자이고, 더구나…… 내가 사랑하던 사람과 닮았다는 것을."

"당신이 사랑하던 여자가 쓰루야에 있다고!"

쓰쿠요미가 놀라서 소리쳤다. 노테쓰와 오히메도 끼어들었다.

"그 여자가 귀신이 되어 이승을 헤매고 있다고? 저런 비극이 있나."

"만나서 반가웠나? 아니면 귀신이 된 여자를 보고 슬펐나?"

우라하야나기의 연인이 출현했다는 새로운 소식에 다른 부상신들도 흥분해서 끼어들었다. 저마다 생각하는 바를 떠들기 시작했다.

그때 그 열기를 딱 그치게 만든 한마디가 튀어나왔다.

"다들 쓰루야 귀신이 우라하야나기의 연인이라고 믿는 모양인데…… 그런 빛줄기만 보고 정말로 누군지 알아보았다는 거야, 우라하야나기?"

하지만 아무 대답도 없었다. 그도 그럴 것이 질문한 사람이 세이지였기 때문이다.

이즈모야의 부상신들은 오누이가 이야기를 듣고 있다는 사실을 알아도 별로 개의치 않았다. 그러나 결코 인간과 대화를 나누지는 않았다. 그것이 이즈모야에 있는 부상신들의 규칙이었다. 인간과 요괴 사이에는 선이 그어져 있다.

"세이지, 또 끼어든다. 이렇게 될 줄 알면서도."

오코가 어이없어해도 세이지는 종종 가게 부상신들에게 말을 건네고 말 때가 있다. "하지만." 오늘도 세이지는 입술을 삐죽거렸다.

"그 귀신은 빛으로 된 이불 빨래 같은 거였어. 겨우 눈 같은 게 보여서 얼굴이 있다는 걸 알았을 정도라고."

그런 형상을 보고 귀신이 누구인지 알았다니, 세이지로서는 믿을 수 없는 일이다. 그런데 오코가 쓴웃음을 지었다.

"사랑하는 감정이 있으면 기척 하나로 상대가 누구인지 알아차릴 수도 있는 거야."

세이지는 이내 미간을 찡그렸다. 하지 않아도 좋은 이야기라는 생각에 늘 조심해 왔던 말이 비어져 나오고 말았다.

"……가령 누나라면 스오를 알아챌 수 있다는 건가?"

그러자 오코가 세이지를 쳐다본 채 표정이 굳어 버렸다. 세이지도 다음 말을 잇지 못하여 가게 안이 조용해졌다.

그대로 잠시 정적.

곧 이야기를 시작한 것은 부상신들이었다.

"흠, 오누이가 그 이름이 나오자 입을 다물어 버리네. 늘 저렇다니까."

"스오는 쓰루야에 없어. 지금은 스오가 아니라 우라하야나기의 연인 이야기를 하는 거잖아."

"그렇지, 우라하야나기의 연인. 이봐, 그 여자를 도와줘야 하지 않겠어?"

고이의 말에 부상신들이 다시 떠들썩해졌다.

"어차피 우리는 쓰루야에 임대될 몸이야. 그 여자 귀신이 어째서 성불하지 못했는지 조사해 볼 수 있겠지."

"귀신이 원한을 품은 상대가 누구인지를 알아야지."

"알게 되면 그 여자가 성불하도록 도와줘 볼까?"

"원한의 상대도 함께 보내 버리자."

"나쁜 놈이라면 우리가 어떻게 하든 상관없잖아."

대화는 이내 심상치 않은 방향으로 흘렀다.

"그자를 이승에서 없애 버리는 건 어때?"

"그렇게 하자. 하자, 하자, 하자."

"조용히 못해! 인간에게 손을 대겠다고? 너희들, 계속 그렇게 엉뚱한 소리 하면 몽땅 중고품으로 팔아 치워 버린다!"

세이지가 또 끼어들어 이번에도 대화가 딱 그쳤다. 그러나 부상신들이 그냥 침묵하는 것은 아니었다. 잠시 쥐죽은 듯 조용하다가 가만히 소리가 들려왔다.

"세이지가 쓸데없는 말을 하네. 악당을 없애자는 건데."

"너희들, 번지르르한 말로 쓸데없는 짓을 미화하지 말란 말이야!"

세이지가 소리를 질렀다. 부상신들이 다시 침묵했다. 하지만 잠시 후 얄미운 웃음소리가 가게 안에 희미하게 들렸다.

"쓰루야에서 돌아온 물건이 알려 주었어. 귀신의 출신을 알아냈대."

이튿날부터 이즈모야의 부상신들은 더욱 시끄럽게 떠들었다.

"역시 귀신은 여자 같아. 그래, 그래, 우라하야나기의 연인이 틀림없어. 그 여자는 죽기 전 어느 가게 주인의 첩으로 살았던 것 같아. 쓰루야에 있던 쟁반이 해 준 얘기야."

모두들 전에 없이 열을 올리고 있었다. 쓰루야에 가면 평범한 물품으로 임대되는 것이 아니라 부상신으로서 활약할 수 있다는 점이 기쁜 것이다.

"꽃병이 말하더군. 여자가 가게에서 쫓겨난 뒤 아기를 낳았는데 그 아기가 금방 죽었대. 아기를 뒤쫓듯이 여자도 죽었고. 그래서 귀신이 된 거지."

"버림을 받았군. 가게 주인은 나쁜 놈이야. 아주 악질이지."

"그자가 오쿠마야래? 아니면 그 전 주인인가? 그걸 알려줘야지."

이런 이야기를 듣다 보니 세이지는 더욱 걱정이 되었다. 날이 갈수록 부상신들의 말은 사나워졌다. 다들 악귀를 퇴치하는 전설의 모모타로라도 된 양 굴었다. 듣고 있자니 무슨 짓을 저지를지 불안하다. 여자 귀신을 차 버린 자에게 엉뚱한 운명이 닥칠지도 모를 일이었다.

'부상신들이 함부로 날뛰다가 사람들에게 알려지면 큰일인데.'

뭔가 수를 쓰려고 해도 쓰루야는 전 주인이라고는 오쿠마야밖에 모른다. 세이지는 여자를 버린 것이 오쿠마야라는 확신이 없었다. 어쩌면 오쿠마야도 귀신이 나오는 줄 모르고 가게를 샀을지 모른다. 귀신이 원한을 품은 자는 다른 곳에 있을 수도 있다. 어떻게 해야 좋을지 알 수 없었다.

세이지는 일단 오늘도 물품을 챙겨 들고 쓰루야로 가 보았다. 그런데 그를 맞이하는 점원들 면면이 달라져 있었다. 점원들은 무서운 경험을 했는지 개업 전인데도 그만두는 자가 많다고 한다. 얼굴을 드러낸 쓰루야가 풀 죽은 목소리로 말했다.

"세이지 씨, 힘드네요."

쓰루야 개업 축하연이 내일인데 아직 준비가 끝나지 않았다. 게다가 잔치를 열기에는 일손이 부족하다고 했다.

"부탁합니다. 내일 잔치 좀 도와주실래요?"

"아, 물론이죠. 이런 지경이니……."

"이런 지경?"

"아뇨, 그게, 아하하……."

설마 부상신들이 뒤숭숭한 이야기를 하고 있는 게 걱정돼서 쓰루야에 있고 싶다고는 말할 수 없었다. 어쨌든 쓰루야는 오코와 함께 일을 돕겠다는 세이지의 대답에 기뻐해 주었다.

즉시 쓰루야와 잔치 준비 이야기를 하는데 내일 참석할 손님 명단이 적힌 종이가 보였다. 마음에 걸리는 남자의 이름을 짐짓 자연스럽게 물어보았다.

"그런데 쓰루야 씨, 개업 축하연에 가게의 전 주인도 오시나요?"

"물론이죠. 오쿠마야 씨도 오십니다. 가게를 싸게 넘겨주신 분이니까요. 꼭 와주십사 부탁드려서 답을 받아 냈죠."

이 가게는 오쿠마야가 직접 지은 건물이란다. 쓰루야는 두 번째 주인인 셈이다.

'그렇다면 가게의 전 주인은 오쿠마야 한 사람밖에 없단 말인가?'

결국…… 여자를 임신시켜 놓고 쫓아내서 죽게 만든 이는 오쿠마야였던 것이다! 쓰루야는 개업 축하연도 오쿠마야가 참석할 수 있는 날짜를 물어보고 잡았다면서 싱글벙글 웃고 있었다.

'허어. 그렇다면 오쿠마야는 가게에 귀신이 있다는 사실을 알면서도 차마 거절할 수 없었겠군.'

거절도 못하고 쓰루야에 와야 할 오쿠마야 주인. 그에게 해코지를 할 판인 여자 귀신. 복수극에 가담하려는 부상신들. 세이지는 귀신과 부상신들이 잔치에 떼 지어 출몰하는 장면을 상상하며 저도 모르게 헛기침을 두세 번 한 뒤 관자놀이를 문질렀다. 그러자 쓰루야가 요란하다 싶을 정도로 걱정해 주었다.

"왜 그래요, 이즈모야 씨. 감기예요? 그러면 일찍 돌아가 쉬세요."

쓰루야의 부모는 악질적인 감기로 세상을 떠났다고 했다.

"감기는 피한다고 피해지는 게 아닌걸요."

알지요. 감기는 그런 병입니다. 알고는 있지만 그래도……라며 쓰루야는 낯을 찡그렸다.

걱정하는 쓰루야에게 세이지는 내일이면 깨끗이 나을 거고 얼버무리고 일단 귀로에 올랐다. 가게로 돌아가는 내내 세이지는 거리의 행상이나 상점에 진열된 물건에 전혀 눈길을 주지 않고 발아래만 내려다보며 걸었다.

"아아…… 축하연이 내일인데."

궁지에 몰린 기분이었다.

'어쩐다? 우리 가게 물건들이 관련되어 있어.'

태도를 결정해야 할 때였다. 세이지는 나이는 젊어도 엄연한 가게 주인이기 때문이다.

'쓰루야 씨…… 부상신들.'

마침내 이즈모야에 거의 다 왔다. 문 앞에 도착했을 때 세이지는 고개를 번쩍 들었다.

"……그래, 그 수밖에 없겠어."

다녀왔어요, 하며 이즈모야의 쪽빛 포렴을 헤치고 들어선 세이지는 안에 들어서기 무섭게 짐을 정리하고 빈 보자기를 다시 펼쳤다. 그러고는 부상신이 아닌 물품들만 선반에서 골라내어 보자기 위에 쌓아 나갔다.

"세이지, 쓰루야 씨에게 대여할 물품이 더 필요해?"

계산대에서 오코가 물었다. 보나마나 고개를 갸우뚱거리고 있을 터였다. 세이지가 얼굴도 보지 않고 대답했다.

"물품을 교체하려고 준비하는 거야. 쓰루야 씨에게 빌려준 부상신들을 내일까지 전부 회수할 생각이야."

"어째서?"

"내일 쓰루야 개업 연회에 전 주인 오쿠마야가 참석한대. 귀신이 원한을 품은 상대가 바로 그 사람이란 걸 알았어."

그냥 두면 무슨 일이 벌어질지 알 수 없다.

"부상신들이 험악한 이야기를 멈추지 않고 내 말에는 대답도 안 해. 그냥 두면 귀신에게 가담할 판이야."

사태가 심각해지는 것을 막아야 한다고 하자 오코가 눈을 휘둥그레 떴다.

그때. 선반에 남아 있던 부상신들이 작은 소리로 투덜거리기 시작했다. 물론 세이지와 대화를 하지는 않는다.

"허어, 귀신의 사악한 원수가 오쿠마야라는군. 그자가 쓰루야에 온대."

"내일이야말로 귀신이 원한을 풀 좋은 기회인데. 너무해. 세이지는 악한을 편드나?"

부상신 목소리가 낮게 울린다.

"세이지를 말려야 해."

그래, 맞아, 하며 선반에서 찬성하는 소리가 끓어올랐다.

"어떻게? 고집쟁이 애송이인데."

"오코에게 말려 달라고 할까?"

"오, 그래, 그게 좋겠어. 그래, 그래."

"뭐? 나 보고 세이지를 말리라고?"

부상신들에게 생각지도 못한 요청을 받자 오코가 소리를 높였다. 하지만 부상신들은 여전히 인간의 질문에 대답을 해 주지 않는다.

"아, 정말!"

어쩔 수 없이 오누이는 끈기 있게 기다렸다. 그러자 곧 선반 위에서 대화가 재개되었다.

"오코는 틀림없이 우리를 도와줄 거야. 왜냐하면 오코는 스오를 소중히 여기니까."

"그래그래, 스오! 스오의 행방을 알아냈다고 하면 협력해 줄 거야."

이 말을 들은 오코의 얼굴이 굳어졌다. 부상신들의 대화는 계속되었다.

"스오는 쓰루야에 없잖아?"

"거기엔 없지. 하지만 쓰쿠요미가 최근 쓰루야에서 스오라는 이름을 들었대."

"우사기도 들었다고 하던데."

"오히메도 아는 눈치였어. 그럼 쓰루야에 없는 향로 이름이 왜 거기서 거론된 거지?"

대화를 나누는 것은 아무래도 노테쓰와 인로약이나 작은 일용품을 넣어 허리에 매달고 다니던 작은 타원형 합 부상신 같았다.

"오코는 쓰루야에 있는 우리 동료들에게 스오 소식을 듣고 싶을 게 틀림없어."

"하지만 세이지가 억지로 회수해 오면 다들 스오 소식 따위는 잊어버릴 게 분명해."

"그럼, 그럼. 그러니까 오코는 동생을 말려 줘야 해. 그렇게만 해 주면······.”

대화가 탕, 하는 딱딱한 울림과 함께 그쳤다. 세이지가 선반에 나란히 놓인 나무 상자를 후려쳤던 것이다. 당연히 대화는 그쳤다. 오코의 얼굴이 거반 울상이 되었다.

“얘기 정도는 들어 봐도 되지 않니?”

오코가 원망스러운 듯이 말했다. 세이지는 언짢은 표정으로 누나를 보았다.

“스오 소식은 이번 축하연이 끝나고 들어도 되잖아? 지금은 귀신 문제가 급해.”

“하지만······ 부상신들 마음을 상하게 하면 아무 말도 해 주지 않을 게 뻔한데.”

오코 생각에 방금 들은 이야기는 오누이에게 주는 경고가 분명하다. '부상신들을 방해하지 마라. 안 그러면 재미있는 이야기는 절대로 들려주지 않겠다'는 것이다.

“누나! 그런 식으로 말하지 마!”

세이지는 이를 악물었다. 대체 누구에게 제일 먼저 화를 내야 하는가. 억지를 쓰는 부상신들에게? 여전히 스오에 집착하는 누나에게? 쓸데없는 일에 휘말리게 만든 쓰루야에게? 이런 소동을 왜 세이지가 해결해야 하는가.

'게다가······ 왜 이번에도 스오가 튀어나온단 말인가?'

스오, 스오, 스오! 그 이름은 종종 세이지 앞에 불쑥 나타나 속을 뒤

집어 놓는다. 이럴 때는 오코의 얼굴을 보고 싶지도 않다. 세이지는 무서운 표정으로 물품들을 보자기 위에 모아 나갔다.

5

우라하야나기입니다.

쓰루야의 개업 축하연 날이 왔습니다. 저는 다른 부상신들과 쓰루야에서 손님들을…… 오쿠마야가 나타나기를 기다리고 있었습니다.

실은 어제 세이지 씨가 부상신들을 이즈모야로 회수하려고 했지만, 뜻을 이루지 못했습니다. 박쥐 네쓰케 부상신인 노테쓰 씨가 쓰루야까지 날아와 동료들에게 상황을 알렸던 겁니다.

그 소식을 듣고 우리는 쓰루야 여기저기로 꽁꽁 숨어 버렸습니다. 세이지 씨는 열심히 뒤지며 다녔지만 요릿집 식솔이 아니므로 함부로 가게를 구석구석 뒤질 수는 없었습니다. 부상신을 하나도 찾아내지 못하고 단념하는 수밖에 없었지요.

우리는 오늘 단단히 벼르고 있습니다. 기다리던 오쿠마야가 나타나면 귀신의 복수를 도울 작정입니다. 그녀는 내가 사랑하는 여자가 분명하니 내 원수를 갚는 일이기도 합니다.

이윽고 첫 손님이 도착했습니다. 세이지 씨는 이른 아침부터 쓰루야에 와서 상황을 살피고 있었습니다. 선배 부상신들은 인간의 눈에 띄지 않도록 조심하며 그 손님이 오쿠마야가 아닌지 알아보러 갔습니다.

부상신들이 일제히 움직이자 가게 안이 어수선해지는 느낌이었습니다.

그때였어요.

그 손님이 뒤를 돌아다보았습니다. 복도를 가로지르는 그림자를 보았을까요? 아니면 미묘한 기척을 느꼈을까요.

아니, 이즈모야의 동료들은 부상신을 자처하는 분들답게 들키거나 사로잡히지 않았습니다. 그러나 그 손님은 분명히 얼어붙은 표정이었습니다. 그리고 천천히 소매에서 뭔가를 꺼내 들었습니다.

저도 모르게 몸이 움츠러들었습니다. 그것이 무엇인지 확인할 여유도 없었습니다. 부상신들은 이내 복도나 방 안에 사정없이 자빠져 버렸습니다. 저도 작은방에서 넘어지고 말았고요.

"오, 무슨 일이시죠? 갑자기 부적 같은 걸 꺼내시고."

그때 쓰루야 씨의 차분한 목소리가 들렸습니다. 그래요, 부상신들을 거꾸러뜨린 것은 손님이 들고 있는 부적이었습니다. 고개를 들고 살펴보니 엄청나게 힘이 넘쳐나는 부적이 무지갯빛으로 눈부시게 빛났습니다.

그러나 인간인 쓰루야 씨는 그 빛이 보이지 않는 것처럼 태연한 표정이었습니다. 하필 그때 손님이 괜찮은지 보려고 복도에 나타난 세이지 씨는 부상신들을 발견하고 재빨리 붙잡았습니다. 저도 당초무늬 보자기 속에 던져진 뒤 단단히 묶여 옴짝달싹도 못하게 되고 말았습니다.

'젠장······.'

분하고 허탈해서 울음을 터뜨릴 뻔했습니다. 그때 세이지 씨가 보자기에 얼굴을 가까이 대고 한숨을 지었습니다. 그리고 작은 소리로 이렇게 말했습니다.

"이봐, 우라하야나기. 섣부른 짓은 하지 말아 줘. 다른 놈들도 마찬가지야. 단단히 믿고 있는 것 같아서 지금까지 말하지 않았지만······ 저 귀신은 우라하야나기가 사랑하는 여자가 아닌 것 같아."

대꾸해선 안 된다는 당부를 들었지만 저도 모르게 '왜죠?' 하고 물을 뻔했습니다. 다행히 그때 복도에서 말소리가 들려 세이지 씨는 급히 그쪽으로 가 버렸습니다.

"오, 일전에 이즈모야에 오셨던 분이군요. 오래간만입니다. 결국 우에노에서 부적을 구하셨군요."

그 말에 우리는 얼굴을 마주 보았습니다. 그 손님이 누구인지 알았습니다. 일전에 이즈모야에 와서 귀신을 물리치는 부적을 빌려달라고 했던 손님이었습니다. 그날 정말로 우에노까지 갔던 모양입니다.

고토쿠지의 부적은 값이 비싸다고 하는데 그 값어치를 하는 물건인가 봅니다. 정말이지 분했습니다. 그때 쓰루야 씨 목소리가 들렸습니다. 그 무서운 부적을 가진 손님을 세이지 씨에게 소개하더군요.

"오, 두 분이 이미 만난 적이 있군요? 세이지 씨, 이분은 오쿠마야 씨입니다. 이 가게의 전 주인이고, 저에게 이 가게를 팔아 주신 분이지요."

"아……."

보자기 안에서 웅성거림이 흘러나왔습니다.

'저놈이 오쿠마야였군!'

'여자를 귀신으로 만들어 버린 놈이 왔어.'

'이럴 때 보자기에 갇혀 있어야 하다니.'

부상신들이 분해서 다들 아우성이었습니다. 하지만 본체가 묶여 있으니 달리 방법이 없습니다.

'오쿠마야는 오늘을 위해 부적을 구하려고 했던 거군.'

'자기가 죽인 여자가 귀신으로 깃든 가게에 돌아가야 할 판이니까. 몸을 지키려면 부적 정도는 필요하다 싶었겠지.'

'어떻게 좀 해 봐…….'

저도 다른 부상신들과 함께 보자기 속에서 속을 끓이고 있었습니다. 꼼짝할 수도 없었습니다. 게다가 부적이 있으니 귀신 혼자 오쿠마야에 맞서기도 힘들겠지요. 저는 몹시 낙담해 있었습니다.

그런데 그때 일손을 거들러 와 있던 오코 씨가 나타났습니다. 다행히 세이지 씨가 보퉁이에서 떨어져 있어 오코 씨는 보자기 매듭의 틈새를 통해 우리를 볼 수 있었습니다. 꼭 듣고 싶은 이야기가 있는 것 같았습니다.

"이봐요, 평소 인간과 말을 섞지 않는다는 것은 알고 있어요. 하지만……. 오늘만은, 이번만은 대답해 주었으면 좋겠어요. 스오 소식을 들었다는데, 정말이에요?"

묻는 목소리가 떨리고 있었습니다. 가슴을 찡하게 하는 물음입니다. 만약 제가 스오 씨 소식을 안다면 당장 말해 버렸을지도 모릅니다. 그러나 저는 아는 바가 없었고 다른 부상신들도 대답하는 이가 없었습니다.

오코 씨 눈에 눈물이 살짝 비친 것 같습니다. 하지만 아무 말도 없이 그 자리를 떠났습니다. 저는 왠지……. 나쁜 짓을 한 듯한 기분이었습니다.

그런데, 오코 씨가 보자기 매듭을 느슨하게 풀어 놓아 바깥이 보인다는 사실을 깨닫게 되었습니다. 몸이 가느다란 노테쓰 씨가 즉시 보자기 속에서 몸을 비틀어 탈출한 뒤 밖에서 매듭을 풀어 버렸습니다. 우리 모두 움직일 수 있게 된 것입니다.

우리는 재빨리 오쿠마야의 뒤를 쫓았습니다. 그러자 복도 끝에 있는 무엇인가가 눈에 띄었습니다.

한낮이지만 분명히 알아볼 수 있는 뽀얀 빛이 구석 쪽 천장에 떠 있었습니다. 오쿠마야가 방문했음을 알고 여자 귀신이 나타난 게 분명합니다. 귀신은 대화를 나누는 세 사람에게 스르륵 다가갔습니다. 우리는 그저 상황을 지켜볼 뿐 아무 짓도 할 수 없었습니다.

처음에 알아차린 사람은 쓰루야 씨였습니다. 문득 시선을 천장으로 돌리고, "어, 저것은" 하고 큰 목소리로 말하며 손으로 가리켰습니다. 그러자 오쿠마야가 천장을 올려다보고…… 몸이 휘청 기울더니 쓰러지려고 했습니다.

'오오, 복수할 기회다!'

저는 그렇게 생각했습니다.

그러나 오쿠마야는 다시 부적을 손에 쥐었습니다. 그러자 귀신도 더는 접근하지 못하고 그 자리에서 사라져 버렸습니다.

'이게 뭐야!'

분했습니다. 부적 때문에 여전히 손을 쓸 수 없었습니다. 그 부적을 오쿠마야에게 권한 것이 세이지 씨라고 생각하니 그저 얄밉기만 했습니다.

하지만 그때.

제가 멀리 떨어져 있어서 알아차릴 수 있었는지도 모릅니다. 재빨리 움직이는 사람이 보였습니다. 쓰루야 씨였습니다.

오쿠마야가 부적을 소중하게 소매에 넣었는데, 휘청거리는 오쿠마야의 몸을 부축하는 척하며 쓰루야 씨가 소매 속에서 뭔가를 빼냈습니다. 눈부신 빛이 움직였으므로 저는 알 수 있었습니다.

두말할 나위도 없이 오쿠마야가 우에노의 사찰에서 어렵게 구입한 부적이었습니다.

6

세이지는 머릿속이 새하얘져 아무 생각도 할 수 없는 기분이었다. 한순간 눈앞에서 벌어진 일을 이해할 수 없었다. 그는 멍한 얼굴로 복도에 우두커니 서 있었다.

'쓰루야 씨…… 왜…….'

방금 분명히 눈앞에 귀신이 나타났다. 대낮에 목격한 것은 벌써 두 번째지만 섬뜩하기는 마찬가지였다. 그러나 오쿠마야가 준비해 온 부적 덕분에 무사히 넘어갔다.

그런데, 그 직후 오쿠마야를 부축해 주면서 쓰루야가 부적을 슬쩍 빼낸 것 같았다. 아니, 분명히 빼냈다!

쓰루야는 시치미 뗀 얼굴로 안색이 나쁜 오쿠마야가 쉴 수 있도록 작은 방으로 안내해 주었다. 하녀를 불러 차를 내오게 하는 동안 세이지는 어떻게 해야 좋을지 판단하지 못하고 그저 지켜보고 있었다.

곧 하녀가 물러가자 쓰루야는 오쿠마야를 남겨두고 그 방에서 나왔다. 오쿠마야는 방에 누워 있을 터였다.

'그런데 지금 부적을 갖고 있는 사람은…….'

세이지는 복도에서 스쳐 지나려고 하는 쓰루야의 앞을 슬쩍 가로막고 나섰다.

"왜요? 무슨 일이죠, 이즈모야 씨?"

"시치미 떼지 마세요. 다 봤습니다."

무엇을 보았다고는 말하지 않았다. 쓰루야도 묻지 않고 고개를 갸우뚱하며 쓴웃음을 지었다. 그러다가 한숨을 내쉰 뒤 세이지에게 따라오라는 손짓을 했다. 그가 향한 계산대에는 점원이 아무도 없었다. 이상할 정도로 조용했다.

"이제 곧 가게에서 첫 연회가 열리는데 왜 아무도 없는 거죠?"

"사실 연회는 두 각쯤 뒤에 시작됩니다. 오쿠마야 씨만 일찍 오시게 한 거죠. 그분에게는 정확한 연회 시간을 알려드리지 않았어요."

볼일이 있어서였다고 한다. 세이지는 쓰루야와 마주앉자 거두절미하고 물었다.

"왜 그런 짓을 했습니까?"

쓰루야는 알 수 없는 웃음을 짓고 소매에서 하얀 종이를 가만히 꺼냈다. 틀림없이 부적이었다. 역시 오쿠마야에게서 훔친 것이다.

"이유를 말씀해 주……."

하던 말을 멈추고 말았다. 쓰루야가 부적을 쫙 찢어 버려서였다.

"쓰, 쓰루야 씨! 왜 이런……."

부적을 찢으면 요괴를 퇴치할 수 없다. 오쿠마야를 노리는 귀신으로부터 안전을 지킬 수단이 없어져 버리지 않았는가! 세이지가 눈을 휘둥그레 뜨고 있는 동안 쓰루야는 찢어진 부적을 계산대 옆 화로에 태워 버리고 말았다. 믿음직한 부적은 이내 재로 변해 버렸다. 그것을 보며 쓰루야는 빙긋이 웃었다.

"자, 이제 부적은 사라졌습니다."

"쓰루야 씨……."

세이지는 지금까지 쓰루야를 피해자라고만 생각했다. 귀신이 출몰하는 가게를 사기 당하다시피 해서 인수하고 만 가련한 젊은이라고 말이다.

그러나 그 생각은 이제 화로 속에서 불타는 부적의 연기처럼 신비한 소용돌이를 그리며 사라지고 말았다.

"……쓰루야 씨, 지금까지 시치미 떼고 있었지만 이 가게에 귀신이 나온다는 걸 알고 있었군요?"

그렇지 않으면 굳이 부적을 태우지는 않았을 것이다. 쓰루야는 차분한 모습으로 화로에 올려 둔 주전자를 들고 차를 타서 세이지에게 내주었다. 그리고 가만히 말했다.

"알고 있었지요. 이 가게를 인수하기 전부터."

쓰루야는 입가에 미소를 지었다.

"오쿠마야는 귀신이 나오는 이 가게를 거짓말까지 해 가며 빨리 처분하고 싶었던 것 같습니다."

쓰루야의 얼굴에 지금까지 본 적 없는 무서운 웃음이 떠올라 있었다. 세이지는 혼란스러운 머리를 진정시키려고 차를 한 모금 마셨다.

'대체 어느 쪽이 나쁜 거지? 귀신이 나오는 가게를 남에게 떠넘긴 오쿠마야인가? 그것은 물론 악인이나 하는 짓이지만…… 귀신이 나온다는 걸 알면서 인수한 쓰루야는…… 악인인가? 선량한 사람인가? 무슨 생각으로 가게를 인수한 거지?'

앞으로 쓰루야는 어떻게 할 생각일까. 세이지는 부상신들을 데리고 이즈모야로 돌아가고 싶었다. 더 이상 관여하면 안 된다는 소리가 머릿속에서 들렸다. 쓰루야에서는 보고 싶지 않고 듣고 싶지 않은 일이 벌어질 것 같았다.

"쓰루야 씨가 무슨 생각으로 이 가게를 샀는지는 모릅니다. 하지만 귀신이 나온다는 사실을 알고 있었다면 아무 불만도 없겠군요."

그만 이즈모야로 돌아가겠다고 말하자 쓰루야가 세이지의 소매를 잡았다. 그의 시선이 화로 옆을 내려다보았다. 앉으라는 뜻이었다.

"모처럼 차를 타 드렸는데 천천히 드시고 가시지요."

쓰루야는 기왕 이렇게 되었으니 들려주고 싶은 이야기가 있다고 했다. 지금이 아니면 다시 언급할 마음이 생기지 않을 것 같다고 해서 세이지는 발을 멈추었다. 쓰루야가 다시 빙긋이 웃었다.

"고맙습니다. 그러면 지난 이야기……라고 하기에는 그리 멀지도 않은 사건이군요."

불과 몇 년 전 일이었다고 한다.

"기억하십니까? 악질적인 감기가 유행해서 많은 사람이 죽은 겨울이 있었죠? 섣달그믐을 코앞에 두었을 때였습니다."

"네, 몇 년 전 겨울 말이군요. 저도 그때 감기를 앓았죠. 누나가 간병해 주었어요."

심하게 앓았다고 하자 쓰루야가 고개를 끄덕였다.

"나는 그때 간다 변두리에 살고 있었어요. 부모는 안경점을 하고 있었고요. 가게는 작았지만 어머니가 조부께 집을 상속받은 덕분에 그 집세로 먹고사는 것은 힘들지 않았습니다."

어지럽게 다닥다닥 자리 잡은 상가에서 사는 일상. 에도 어디서나 볼 수 있는 생활이었다. 그즈음 니혼바시 쪽에서 독감이 유행한다는 소문이 간다에도 들리고 있었다. 아직 간다 근방에 걸렸다는 사람이 없어서 아무도 신경을 쓰지 않았다.

그러나. 그 감기는 어느 날 사람의 몸을 타고 간다에 파고들었다.

"낯선 행상 한 명이 찹쌀떡을 팔러 드나들었어요. 추운 겨울이라 한 개에 4몬인 따뜻한 찹쌀떡은 잘 팔렸지요."

그 찹쌀떡 장수는 심한 감기를 앓고 있었다고 한다. 그래도 하루하루 먹고 살아야 하므로 행상을 이어 나갔다. 처음에는 나가야 주민들도 그의 근면함을 칭찬했다. 그러나 곧 나가야에도 독감이 퍼졌다.

"찹쌀떡 장수가 처음 드나들던 나가야에서 첫 번째 사망자가 나왔습니다. 소문이 나돌았지요. 찹쌀떡 장수한테 옮은 거라고."

그러자 찹쌀떡 장수는 다른 동네를 돌아다니기 시작했다. 무리해서 계속 행상을 다닌 탓인지 감기는 낫지 않았다. 그 동네에서도 환자가 나왔다. 찹쌀떡 장수는 즉시 동네를 옮겼다. 나중에 아이 두 명이 묘지에 묻히게 되었다.

"그 떡장수가 다음에 찾은 곳이 내가 살던 동네였어요. 찹쌀떡 장수가 위험하다는 소문이 차차 나돌았지만 한발 늦었던 겁니다."

처음에 찹쌀떡을 사 먹은 쓰루야의 누이동생이 쓰러졌다. 누이동생을 간병하던 부모도 독감이 옮아 세상을 떠났다. 이즈음이 되자 간다 여기저기에서 독감 환자가 속출했다. 옮으면 죽는 감기라는 소문이 돌았다. 그런 동네에 찹쌀떡 장수가 위험하다는 소문이 뒤따라 들어왔다.

"찹쌀떡 장수는 자식을 여읜 부모에게 쫓겨나 간다를 떠났습니다. 나중에 듣기로는 원래 그 떡장수가 간다에 드나들게 된 것도 니혼바시에서 손님들에게 독감을 옮긴 탓에 더 이상 장사를 할 수 없었기 때문이라고 합니다."

감기 환자가 음식을 팔러 다녔으니 그가 드나드는 곳마다 감기가 옮은 듯했다. 장사, 장사, 장사! 그 탓에 얼마나 많은 사람이 죽었는가.

"찹쌀떡 장수는 위험한 감기를 앓고 있으면서 왜 계속 장사를 했을까요……."

걸리면 죽을 수도 있는 지독한 감기다. 세이지는 아연실색해서 물었다. 쓰루야는 그 이유를 조사해 보았는지 거침없이 대답했다.

"찹쌀떡 장수는 그 감기가 유행할 때 한 번 걸렸다가 나은 적이 있다고 합니다. 그러다가 그해 겨울에 또다시 감기에 걸린 겁니다."

두 번째 앓는 덕분인지 본인은 드러누울 만큼 나빠지지는 않았다고 한다.

"움직일 수만 있으면 돈 벌러 나가야지. 나도 먹고살아야 하니까, 그렇게 말했다는 겁니다."

하지만 나가야에 사는 가난한 주민들은 병에 걸리면 일어나지 못한다.

"한번 앓아 봤으니 위험한 병이란 걸 알고 있었을 겁니다! 깨끗이 나을 때까지 보름 정도는 장사를 접고 집주인에게 어려움을 호소해서라도 생활비를 꾸는 방법이 있지 않았을까요."

어찌된 일인지 찹쌀떡 장수의 감기는 다른 사람들에게 쉽게 옮았다.

세이지를 올려다보는 쓰루야의 눈이 차갑게 가라앉아 있었다. 세이지는 뭔가 말하려고 했지만 차마 말이 나오지 않았다. 쓰루야는 오쿠마야가 사람들에게 병을 퍼뜨렸다고 확신했다.

쓰루야는 분노하고 있었다. 어설픈 분노가 아니라 온몸으로 격렬하게 분노하고 있었다!

"우리 가족 말고도 많은 사람이 죽었어요. 그래도 누구 하나 그자를 막지 못했습니다. 오캇피키에게 신고한 사람은 있었지만."

고의로 옮긴 것은 아니다. 찹쌀떡 장수는 제 일을 했을 뿐이다. 게다가 감기라면 떡장수 말고도 병을 옮긴 사람이 있었을 것이다. 찹쌀떡 장수만 처벌할 수는 없다고 막부 관리는 답변했단다.

그러나.

"고의는 아니라지만 감기가 옮아 가족을 잃은 사람이 납득할 수 있다고 보십니까? 부모도 누이동생도 잃었습니다. 살아남은 가족으로서는 식구가 살해당한 것과 무슨 차이가 있습니까?"

정말로, 정말로 찹쌀떡 장수에게 죄가 없을까?

"나는 도저히 그렇게 생각할 수 없었어요……."

적어도 간다에 드나들 즈음에는 자신이 앓고 있는 병이 전염병이고 니혼바시에서 많은 사람이 죽어나간 독감임을 알고 있었을 것이다. 그런데 질리지도 않고, 쉬지도 않고 여전히 병을 옮기며 돌아다녔다. 혼자 살아남아서 맞은 정월은 가혹한 시간이었다…….

"나는 할아버지 곁에서 지내려고 니혼바시로 왔다가 유행하던 감기가 사라지자 그자를 찾아다녔습니다. 대체 무슨 생각이었는지 직접 묻고 싶었어요."

그러나 떡장수는 고향인 니혼바시에 모습을 보이지 않았다. 떡장수가 살던 니혼바시의 나가야를 찾아냈을 때는 이미 결혼을 하여 오쿠마야라는 이름으로 후카가와로 이사해 있었다.

"아세요? 오쿠마야는 니혼바시에서도 여자를 차 버렸습니다. 비난이 들끓어도 계속 자신을 비호해 줬던 여자를 버리고 지참금이 두둑한 여자와 살려고 후카가와로 옮겨갔다고 합니다."

그 돈으로 행상을 그만두고 오쿠마야의 주인이 된 것이다. 그리고 후카가와에서도 여자를 차 버려 귀신으로 만들고 말았다. 쓰루야가 그의 동정을 살피러 접근하자, 오쿠마야는 자기가 고아로 만든 쓰루야에게 무서운 비밀이 있는 가게를 사기를 치다시피 해서 팔아넘기려고 했다. 차 버린 여자에게 사죄도 하지 않고, 귀신이 나오는 가게에서 도망치려고만 했던 것이다.

큰돈을 지불하고 가게를 인수한 사람이 귀신 때문에 망할 판이었지만 오쿠마야는 신경도 쓰지 않는 듯했다. 자신이 손해를 감당해야 마땅한데!

"정말이지 사악한 자입니다."

그 말로 이야기를 마무리했다. 쓰루야의 생각을 단적으로 드러내는 말 같았다. 무사히 회복한 사람들이라면 다시 떠올리고 싶지도 않을 그 감기에 쓰루야는 내내 사로잡혀 있는 것이다. 세이지는 그 자리에 못 박힌 채 아무 말도 없었다.

'쓰루야 씨는 감기 따위로는 사람을 처벌할 수 없다는 사실을 누구보다 잘 알고 있는 게 아닐까.'

세이지는 그렇게 짐작했다. 쓰루야는 잘 알고 있다. 하지만 이미 가족을 다 잃었기 때문에 참을 수 없는 것이다. 여전히 가라앉지 않은 원한과 분노가 이기적인 짓을 그치지 않는 오쿠마야에게 향하는 것이다. 만나면 싱글벙글 웃던 현 주인과 전 주인 사이에 그런 비밀이 있을 줄은 상상도 하지 못했다.

'하지만……'

세이지는 문득 떠오른 의문에 고개를 들었다. 쓰루야를 똑바로 쳐다보았다.

"저어, 이 가게에 귀신이 있다는 것을 알고 있었으면서 왜 인수한 겁니까?"

귀신이 나온다면 요릿집을 개업해도 금세 망하고 만다. 그렇다면 왜 굳이 악한 자로 소문난 오쿠마야에게 보탬이 되는 일을 했을까?

"쓰루야 씨?"

쓰루야는 잠시 입을 다물고 있었다. 세이지의 머릿속에 왠지 섬뜩한 생각이 스쳤다.

방금 전 쓰루야는 부적을 찢어 불에 태워 버렸다. 그리고 오쿠마야는 지금 쓰루야의 방에 혼자 누워 있다.

부적이 없어졌다는 사실을 모른 채……

"쓰루야 씨, 혹시……."

그렇게 물을 때였다. 세이지의 물음에 대한 대답이 복도 저쪽에서 날아왔다.

"아악! 사, 사람 살려!"

오쿠마야의 목소리였다. 쓰루야에는…… 귀신이 있다! 그리고, 그리고!

이제 고토쿠지의 부적은 없다.

"오쿠마야를 강제로 귀신과 대면하게 만들 생각입니까? 그러려고 이 가게를 산 거군요?"

다시 비명이 들렸다. 세이지는 쓰루야의 대답을 기다리지 않고 복도로 뛰어나갔다. 오쿠마야가 있는 방으로 달려간다.

곧 뭔가가 발에 밟혔다. "어이쿠!" 요란하게 넘어지고 말았다. 살펴보니 보자기에 싸 두었던 쓰쿠요미를 밟았던 것이다.

"어째서 네가 이곳을 돌아다니고 있지?"

물론 쓰쿠요미가 부상신이긴 하지만 상자에 담아 단단히 묶어 두었으니 제멋대로 굴 수는 없었을 것이다. 그런데…….

"누나였구나! 보자기를 풀어준 거야."

필시 스오 소식을 들으려고 했으리라. 냉정한 누나를 일탈하게 만드는 것은 늘 스오였다.

"젠장! 부상신들이 귀신을 돕고 있나."

누나를 비난하는 동안에도 방에서는 비명이 계속되었다. 뒤에서 쓰루야가 걸어오는 모습이 보였다. 오쿠마야가 어떻게 하고 있는지 보러 가는 걸까?

세이지는 개의치 않고 방으로 달려갔다.

7

오쿠마야는 근본부터 썩은 악인이다.

세이지는 쓰루야가 아까 했던 이야기를 전혀 의심하지 않았다.

지금 쓰루야에는 귀신이 있다. 그 여자를 죽음으로 내몬 자는 틀림없이 오쿠마야이다. 게다가 귀신 나오는 가게를 다른 사람에게 떠넘기고도 악행을 거듭하고 있다. 감기 정도는 눈 하나 깜짝하지 않고 퍼뜨리고 다닐 자였다. 오쿠마야는 자기 행동을 부끄럽게 여기지도 않는 남자였다.

하지만.

"이건 뭐야……."

맹장지를 열어 보니 눈앞에 오쿠마야가 엎드려 있었다. 다다미 위에 개구리처럼 엎드려 제 머리를 감싸 쥔 채 벌벌 떨고 있다.

천장을 보니 역시 괴이한 것이 보였다. 대낮인데도 귀신이 나타난 것이다. 천장 가까이 둥실 떠 있는 하얀 윤곽은 높고 낮게 고리를 그리며 날아다녀서 험악한 분위기는 있었지만, 아직 아무 일도 저지르지 않은 모양이다.

다만 방 안에 원래는 없었던 물건 몇 가지가 흩어져 있었다. 부채, 책, 꽃, 붓 같은 작은 물건들이었다. 오쿠마야는 그 물건들에 맞아 겁에 질린 채 볼품없이 웅크리고 있는 것이다. 세이지는 기척을 느끼고 구석의 그늘진 곳을 쳐다보았다.

'부상신들이 집어던진 건가?'

귀신을 돕겠다고 했으니 귀신과 함께 오쿠마야를 혼내고 있었는지도 모른다. 귀신은 여전히 방 안의 천장 쪽에서 돌고 있을 뿐이다. 오쿠마야는 다다미에 고개를 박은 채 꼼짝도 못하고 있었다. 곧 세이지 뒤에서 맹장지가 열렸다.

"오, 아무것도 시작되지 않았군요."

쓰루야였다. 상황을 보러 왔지만 별다른 일이 없는 듯하자 맥이 빠진 모습이다. 그 목소리에 오쿠마야가 냉큼 고개를 들었다.

"쓰루야 씨, 쓰루야 씨, 보세요, 천장에 무서운 게 있어요!"

다급한 얼굴로 호소했다.

"쓰루야 씨 가게에서 일어난 일입니다. 저걸 좀 어떻게 해 보세요!"

쓰루야가 개구리처럼 납작 엎드린 오쿠마야를 내려다보며 거리낌 없이 쓴웃음을 지었다.

"한데 이 귀신은 내가 가게를 인수할 때부터 있었어요. 정체가 무엇인지, 어떻게 해야 달랠 수 있는지는 오쿠마야 씨가 잘 알 텐데요."

"몰라요, 모릅니다, 이미 팔아넘긴 가게인데 나랑 무슨 상관이오. 당신이 샀으니 당신 책임이지!"

귀신을 말려 달라, 살려 달라고 아우성을 친다. 세이지는 왠지 불쾌한 기분으로 그 모습을 내려다보고 있었다.

'이런 자가, 이런 인물이 지독한 악인이란 말인가?'

쓰루야는 겁에 질린 표정을 하고 있다.

"당신이 뭐라던 간에 귀신이…… 죽은 하녀가 나에게 볼일이 있을 것 같지는 않은데?"

"그건, 그 여자가 잘못한 거였어. 나는 아기를 낳지 말라고 분명히 말했단 말이야. 그때 지웠으면 됐을 텐데."

그런데 여자는 아기를 낳았고 그 아이와 함께 금세 죽고 말았다. 지참금을 가지고 온 아내가 그 사실을 알아낸 탓에 몹시 시달렸다고 오쿠마야는 불평을 했다. 세이지는 어이가 없어서 눈을 휘둥그레 떴다.

'죽은 하녀의 귀신이 떠다니는 방인데. 이런 자리에서 여자가 잘못했다고 우는 소리를 한단 말인가? 설마 자신을 불쌍하다고 위로해 줄 사람이 있을 거라고 생각하나?'

불현듯 떠올라 세이지가 조심스레 물어보았다.

"오쿠마야 씨, 몇 년 전 독감을 사람들에게 옮겨서 간다에서 쫓겨난 적이 있죠? 기억하세요?"

"아아, 그땐 정말 힘들었지요. 다들 감기에 걸린 게 내 탓이라고 했거든요. 이미 니혼바시에서 유행하던 감기인데 결국 누가 옮겨도 옮겼을 거 아닙니까. 그런데도 감기 좀 옮겼다고, 나 참……."

무척 힘들었다고 했다.

'오쿠마야도 자기가 간다에 감기를 퍼뜨린 사실을 알고 있었군.'

감염되어 죽은 사람이 있다는 소식도 들었을 게 분명하다. 그런데도 왜 늘 나만 당하느냐고 한탄할 뿐이다.

세이지 옆에 쓰루야가 못 박힌 듯 서 있었다. 오쿠마야를 응시하고 있다.

"……사람을 죽게 만들고 놓고 미안하다는 생각도 없나?"

오쿠마야는 대단한 악당은 아니다. 죄라는 걸 알면서 저지른 거라면 차라리 낫겠다.

그러나 오쿠마야는 관의 처벌을 면했으므로 자기는 잘못이 없는 거라고 떳떳하게 말하고 있다. '나는 재수가 없었다, 도리어 억울하게 당했다'고 자신을 불쌍히 여기고 있다…….

비난하는 사람을 오히려 원망하고 불평하는 자였다. 말이 통하지 않는 사람을 앞에 두고 쓰루야는 아무 말도 못하고 있었다.

'쓰루야 씨는 오쿠마야를 귀신과 대면하게 만들면 지금까지 저지른 잘못을 사죄할 거라고…… 그 참에 감기를 퍼뜨린 잘못에 대한 사죄도 들을 수 있을 거라고 기대했을까.'

그러나 해가 지고 밤이 물러가기를 기다려도 오쿠마야 입에서 그런 기특한 말은 나오지 않을 것 같았다. 왜냐하면 오쿠마야가 불쌍하다고 생각하는 것은 자기 자신이기 때문이다.

'나만 당했다…… 나는 불쌍하다…….'

더 이상 무슨 말을 해야 좋을지 알 수 없다는 듯 쓰루야는 망연한 표정으로 우두커니 서 있을 뿐이었다. 이 상황을 어떻게 해야 할지 아무도 알지 못하는 듯했다.

그때 세이지가 천장을 떠도는 귀신을 힐끗 보고 나서 고개를 한 번 갸우뚱거리고 쓰루야를 보며 불쑥 이상한 질문을 던졌다.

"그런데 쓰루야 씨, 초대 단주로라는 가부키 배우가 언제 적 사람인지 아세요?"

그 말에 쓰루야가 망연한 표정 그대로 기계 장치 인형처럼 대답했다. 세이지는 고개를 끄덕이고 주변을 살펴보며 부상신들을 찾았다.

8

우라하야나기입니다.

세이지 씨가 쓰루야 씨 곁을 떠나 옆방 구석에 있던 우리를 보러 왔습니다. 그리고 눈에 띄는 부상신들을 모두 그 자리에 모았습니다.

"너희 모두에게 한 가지 부탁이 있다."

작은 소리로 말했습니다.

"내 말에 대답해 주지 않는다는 건 잘 안다. 그래도 좋다. 일단 내 얘기를 들어 봐."

우선, 하며 말을 건넨 상대는 바로 저였습니다. 귀신에 대하여 해 줄 말이 있다더군요.

"우라하야나기, 확증이 없어 이야기가 그대로 남아 있었지만…… 방금 전 쓰루야 씨가 확실히 가르쳐 주었어. 그 귀신, 실은 네가 사랑하는 여자가 아니다."

갑자기 그렇게 말했습니다.

"왜냐하면 너는 그 여자와 함께 초대 단주로의 〈다이후쿠초산카이나고야〉를 보았다고 했지? 우라하야나기, 초대 단주로라는 가부키 배우는 이미 백 년도 전에 살았던 사람이야."

그 연극을 함께 보았다면 그 여자가 살던 시절 역시 백 년 전이겠지요. 즉…… 이미 한참 전에 죽었다는 겁니다!

"향로에 깃들고 나서 시간을 알 수 없게 된 건가? 우라하야나기의 연인은 이미 극락정토에 가 있을 거다."

그러므로 여기 쓰루야의 귀신은 너와 무관한 여자이다. 세이지 씨는 그렇게 이야기를 마무리했습니다. 솔직히 크게 놀랐습니다. 어느새 그토록 긴 세월이 흘렀을까요. 그때 즉시 성불했으면 사랑하는 그녀를 저승에서 바로 만났을 겁니다.

"너는 빨리 극락으로 가는 게 나아, 우라하야나기. 그래서 말인데, 혹시 저승에 갈 생각이 있다면 방에 있는 저 귀신도 데려가 주지 않겠어? 계속 저렇게 떠도는 건 불쌍하잖아."

한때 사랑하는 여자로 착각했던 만큼 편하게 보내 주라는 겁니다.

물론 같이 가자고 제안하는 것으로 충분하다면 저도 주저할 일이 없지요. 극락의 부처님 곁에는 여자 귀신의 죽은 아기도 있을 테니까요.

다만 문제가 하나 있었습니다. 오쿠마야를 원망하는 귀신이 내가 제안한다고 흔쾌하게 따라와 줄까 하는 겁니다. 그럴 정도라면 벌써 오래전에 성불했겠지요. 하지만 세이지 씨는 이 점도 이미 생각해 두었더군요.

"귀신이 될 정도이니 이대로는 성불할 수 없을 거야. 그러니까 다들 저 귀신을 위해 오쿠마야에게 징벌을 주지 않겠나?"

아무래도 이것이 세이지 씨의 제안이었던 것 같습니다. 막부 관리들은 오쿠마야의 죄를 묻지 않았습니다. 오쿠마야는 그러므로 나쁜 짓은 없었던 거라고 거리낌 없이 말하는 괘씸한 자입니다. 쓰루야 씨가 추궁해도 도리어 억울하다며 원망합니다.

그러나 그런 오쿠마야도 남들처럼 귀신은 무서운 모양입니다. 입으로는 당당하게 말하지만 원한을 샀다는 것 정도는 알고 있겠지요. 귀신이 무서울 겁니다. 그렇다면 그쪽으로 고통을 맛보게 해 주자는 것입니다.

"다만 죽이지는 마. 크게 다치게 해서도 안 돼. 사태가 커지면 너희도 여러 가지로 곤란해지겠지?"

세이지 씨는 참으로 자상하게 못을 박았습니다. 우리가 그 제안에 응할지 어떨지 세이지 씨는 알 리가 없습니다. 하지만 저는 부상신들이 재미있어한다는 것을 눈치챘습니다. 세이지 씨는 보자기에 모두를 다시 모았습니다.

세이지 씨는 보자기를 싸 들고 쓰루야 씨와 오쿠마야 앞으로 돌아가 오쿠마야에게 그간의 잘못을 사죄할 생각은 없느냐고 물었습니다.

"쓰루야 씨는 간다에서 그 감기로 가족을 잃었습니다."

"……내가 말했잖소, 왜 나한테만 뭐라고 하느냐고."

오쿠마야는 왜, 무엇을 사죄해야 하는지 알지 못하는 듯했습니다.

세이지 씨는 한숨을 짓고 방 안에 우리가 들어 있는 보퉁이를 내려놓았습니다. 그리고 오쿠마야에게 들리지 않도록 작은 소리로 쓰루야 씨에게 뭐라고 말했습니다.

"귀신이 원한을 풀고 성불한다면 쓰루야 씨도 조금은 속이 풀리지 않겠습니까? 어떻게든 오쿠마야가 깨닫게 할 수만 있다면요."

오쿠마야에 대한 원한을 귀신을 시켜 풀어 보자고 말한 겁니다. 이제 오쿠마야에게 반성 같은 것을 요구해도 통하지 않을 거라고 세이지 씨는 말했습니다. 다만 귀신뿐만 아니라 나나 부상신들까지 동원할 생각이라는 것은 쓰루야 씨에게 밝히지 않았습니다.

오쿠마야는 두 사람 뒤에서, "왜 나만 빼놓고 속닥거리는 거요?" 하며 눈을 흘겼습니다. 쓰루야 씨는 지친 듯 쓴웃음을 지었습니다. 웃을 수밖에 없었겠지요.

"그래요. 이따위…… 세상에는 이런 사람도 있게 마련이죠."

그 대답을 듣자 "그럼!" 하며 세이지 씨는 재빨리 보자기 매듭을 풀고 쓰루야 씨를 데리고 방을 나갔습니다. 맹장지가 탁 닫혔습니다.

"뭐, 뭐하는 거요?"

오쿠마야의 불안한 표정이 우리 눈앞에 있었습니다. 아니, 그때부터 더 불안하게 만들 작정이었지요. 우리로서는 간만에 마음껏 날뛸 수 있는 시간이 시작된 것입니다.

정말이지, 얼마나 신이 났는지 모릅니다.

후카가와에 있는 중고품점 겸 대여점 이즈모야에 많은 물품이 회수되어 왔다. 근처에 있는 요릿집 쓰루야가 반납한 것이다.

개업한 지 두 달. 과연 잘 될까 싶었던 요릿집도 그럭저럭 잘 되는 모양이었다. 귀신이 예전 주인에게 빙의되어 떠난 듯하다는 소문이 나서인지도 모른다. 가게를 충분히 꾸려 나갈 수 있겠다는 공산이 서자 쓰루야는 물품을 대여해서 쓰기보다 구입하기 시작했다.

임대했던 이즈모야의 물품도 중고품으로서 대거 구입해 주어서 쏠쏠한 거래가 되었다. 이즈모야 앞에서 세이지가 쓰루야에게 고맙다는 인사를 하자, 천만에요, 하며 쓰루야가 고개를 숙였다.

"나는 오쿠마야를 만날 때마다 분노가 온몸에 가득했습니다. 도저히 냉정해질 수 없었어요."

그래서 오쿠마야와 귀신을 대면하게 하려고 했단다. 만약 세이지가 없었다면 자기가 무슨 짓을 저질렀을지 알 수 없다고 말하며 쓰루야는 빙긋이 웃었다.

"그나저나 두 달 전 그날, 오쿠마야가 보기 좋게 반백 머리가 되었지요."

세이지가 부상신들을 부추겨 오쿠마야와 귀신을 한 방에 두고 나왔을 때 무슨 일인지 맹장지는 안에서 열 수 없게 되었다. 오쿠마야는 더욱 요란하게 비명을 질렀지만 도망칠 수 없었다. 소동은 반 각한 시간 가까이 계속되다가 맥없이 그쳤다.

솔직히 아쉬웠다. 그렇게 생각할 때 다시 비명이 들렸다. 쓰루야와 세이지는 얼굴을 마주보았고, 그러기를 세 번쯤 되풀이하더니 이번에는 긴 침묵이 이어졌다.

그래서 세이지와 쓰루야가 맹장지를 열어 보니 쉽게 열렸다. 안에는 까맸던 머리가 어느새 반백 머리로 변한 오쿠마야가 쓰러져 있었다. 기절한 것이다. 부상신들은 보자기 위에 빠짐없이 모여 있었다. 그리고.

이제 귀신은 없었다.

동시에 우라하야나기도 사라지고 없었다.

쓰루야는 귀신이 사라진 방 안을 잠시 응시했다. 그러다가 오쿠마야에게 눈길을 돌리고 또 잠시 그대로 쳐다보았다. 오랫동안 침묵하고 있었다.

하지만…… 그러다가 곧 작은 소리로 웃기 시작했다.

"아아, 귀신이…… 무사히 성불한 것 같군요."

웃었지만 눈에는 눈물이 비쳤다.

"마침내 앙갚음을 한 것 같은데…… 요 정도밖에 못하나 하는 생각도 듭니다."

감기는 사람에서 사람으로 옮는 병이다. 그래서 가족을 잃으면 아무리 화가 나도, 전염시킨 자를 원망해도 소용이 없다.

귀신이 된 여자라고 무슨 해결책이 있을까. 감언에 넘어갔다 버림을 받고 끝내 건강을 잃고 죽었지만 상대 남자는 처벌을 받지 않는다. 또 귀신이 깃든 가게를 속아서 구입해도, 재산을 다 잃어도…… 팔아치운 자는 처벌을 받지 않는다.

세상에는 법망에 걸리지 않아 벌을 받지 않는 일들도 있다. 알고 있다. 알고는 있다.

하지만 그것을 알고 도리어 당당하게 구는 자가 있기 때문에, 알고는 있지만 납득하지 못하고 귀신이 되는 것이다. 복수를 결심하는 것이다. 스스로 어리석다고 생각하면서도 끝내 납득하지 못하고…….

쓰루야의 손이 천천히 제 얼굴을 감쌌다. 손가락에 힘이 들어가고 희미하게 떨렸다.

"뾰족한 방법이 없다는 것은 알고 있었습니다."

쓰루야가 다시 작은 목소리로 웃기 시작했다. 눈에는 눈물이 흐르고 있다.

"제가 어리석은 짓을 했습니다. 하지만…… 달리, 어떤 방법이 있었을까요."

울고 웃고, 울고 울고 울고…….

세이지는 곁에 선 채 아무 말도 하지 않았다. 다만 쓰루야의 마음이 풀리고 눈물이 그칠 때까지 곁에 있어 주었다.

"그 뒤 깨어난 오쿠마야 씨는 다시는 오지 않겠다고 하며 쓰루야를 나갔습니다."

이번에도 자기에게 켕기는 일들은 일찌감치 잊은 듯했다. 또 억울하게 당했다고만 생각하는 것 같았다고 쓰루야는 작은 소리로 웃었다.

"그 사람은…… 계속 그렇게 살겠지요."

여하튼 이렇게 웃으며 오쿠마야 이야기를 할 수 있게 되었으니 이제 괜찮다고 말했다. 정말로…… 괜찮다고.

쓰루야는 다시 웃고 나서 문득 화제를 바꾸어 세이지 뒤에 있던 오코를 보았다.

"전에 오코 씨가 우리 가게 일을 도와주실 때 스오라는 이름의 향로를 모르느냐고 물으신 적이 있었죠."

그 이야기에 세이지의 얼굴이 굳어졌다. 쓰루야는 아무렇지도 않은 말투로 계속했다. 뒤에서 오코가 귀를 세우고 있음을 알 수 있었다.

"그때는 아는 바가 없다고 했습니다. 아니, 지금도 그런 이름의 향로는 모릅니다. 하지만 스오라는 이름을 가진 분을 얼마 전에 만났습니다. 그래서 향로가 기억나더군요."

향로가 아니라 사람이어서 아쉬웠어요, 하며 쓰루야는 웃었다. 뒤에서 "흐읍" 하고 오코가 숨을 삼켰다. 세이지는 말도 못할 정도로 놀라고 있었다.

오코가 찾는 것은…… 진심으로 알고 싶어 하는 것은 향로가 아니다. 그 주인의 소식이었다. 스오에 관한 소식이었다.

하지만 그의 행방은 지금까지 전혀 알 수 없었다. 그래서 그가 갖고 있는 유명한 향로를 쫓았던 것이다. 그러나 향로 소식도 지금까지 전혀 듣지 못했다.

바로 그 스오 소식이 불쑥 날아든 것이다.

마침내 소식을 들을 수 있게 되었는데도 오누이 가운데 어느 쪽도 입을 열지 못했다. 이야기가 끊긴 채 반응이 없자 쓰루야는 작별 인사를 하고 돌아갔다. 요릿집 쓰루야는 가까운 곳이다. 이야기를 더 듣고 싶다면 찾아가기만 하면 언제든지 들을 수 있지만…….

'스오…….'

오누이는 그 이름에 압도된 것처럼 입을 열지 못한 채 침묵하고 있었다.

비색

1

　처음 만나는 상대에게 자기를 소개하는 것은 조금 멋쩍은 일이죠.

　하지만 이름을 모르면 대화하는 데 불편하잖아요. 그래서 먼저 밝혀
둡니다. 제 이름은 고이라고 합니다.

　별난 이름이라고요? 아, 가라쿠사唐草 씨, 저도 당신처럼 인간이 아
니거든요. 에도 사람들이 알아듣게 말하자면…… 그래요, 부상신입니
다. 요괴라고요.

보시는 대로 저는 해오라기 그림이 그려진 멋진 담뱃대입니다. 물론 고급스런 공예품이에요. 그렇죠? 덕분에 오랜 세월 귀하게 다뤄졌고, 백 년 세월을 묵고 나니 혼이 깃든 겁니다. 저도 부상신이 된 거죠.

부상신은 인간과는 조금 다릅니다. 하지만 에도에서는 드물지 않은 것 같아요. 이곳 이즈모야에도 우리 동료들이 많잖아요.

가라쿠사 씨, 부상신인데도 대여점에 오게 돼서 처음에는 두려웠다고요? 그래요, 가게에 진열되는 건 당혹스런 일이죠. 물품을 빌려주는 대여점이다 보니 사실 위험하긴 합니다. 이상한 곳에 대여되었다가 상처가 나거나 망가지면 큰일이니까요.

하지만 이즈모야는 애송이 티를 못 벗은 오누이가 단 둘이 꾸리는 작은 가게예요. 우리를 대여하지 않으면 먹고살기가 힘들죠. 투정을 부리며 내뺄자니 오누이가 불쌍하잖아요.

오누이는 이제 부모도 없습니다. 서로가 아니면 의지할 가족도 없어요. 세이지나 오코나 아무래도 부모 복은 없는 거죠.

이즈모야는 본래 오코의 숙부가 하던 가게였어요. 숙부는 자식이 없었죠. 그래서 지인의 아들인 어린 세이지를 양자로 들인 겁니다. 그래요, 세이지는 양자예요.

뭐, 그런 연유로 세이지는 니혼바시에 있던 오코의 집에 친척으로서 자주 드나들게 되었죠. 두 사람은 어릴 적부터 알고 지낸 거예요.

하지만 4년 전, 오코는 외톨이가 되었어요. 화재로 부친을 잃었거든요. 모친도 세상을 떠난 지 오래인지라 오코도 이곳 이즈모야에서 지내게 된 겁니다. 그때부터 세이지는 오코를 누나라고 부르며 함께 가게를 꾸렸어요.

두 사람을 거둬 준 이즈모야의 주인을 본 적이 없다고요? 아, 주인은 얼마 전 병으로 세상을 떠났어요. 오누이는 양아버지를 잃은 거죠.

물론 두 사람은 슬펐지만 어쨌거나 먹고 살려면 가게를 꾸려야 했으니 있는 힘껏 일했습니다. 슬픔에 빠져 있을 겨를이 없었죠.

그러던 어느 날 우리가 오누이에게 조금 흥미를 느끼고 이야기를 나누고 있는데…… 그 말소리를 오누이가 듣고 말았습니다.

두 사람은 경악하는 표정이었어요. 뭐 당연하죠. 그러나 이즈모야는 가게 물품들이 귀신 들렸다며 내다 버릴 수 있을 만큼 여유로운 가게는 아니었어요. 그만큼 살림이 어렵다고 할 수 있지요.

어쩔 수 없이 가게에서 함께 지내는 것을 서로 묵인하게 된 겁니다. 그래서 뭐…… 마음씨 착한 우리 부상신들은 순순히 이곳저곳에 불려가서 오누이의 장사에 보탬이 돼 주기로 한 거고요.

부상신이라면 흔한 물품들과는 격이 다른 존재인데, 우리 마음 씀씀이가 참으로 갸륵하지 않습니까? 스스로 생각해도 기특해서 눈물이 날 정도입니다. 부상신들은 하나같이 대단한 존재들이에요.

어, 계산대에서 세이지가 쓴웃음을 짓네요. 우리 얘기에 귀를 기울이느라 장부 정리를 게을리하고 있군요. 저렇게 노닥거리면 곤란한데. 정말이지 요즘 젊은 것들은 조금 동정하고 도와준다 싶으면 금방 저런다니까.

가라쿠사 씨, 당신은 신참이니까 세이지의 저런 자세를 배우면 안 돼요. 우선 이즈모야에 있는 동료 부상신들 이름부터 부지런히 외우고 대화 예절도 익히고…… 이름은 벌써 다 외웠다고요? 좋아, 그건 참 잘했군요.

뭐요? 그래서 우리가 얘기하던 스오 이야기를 더 듣고 싶다고? 하여간 백 살 정도밖에 안 된 젊은 것들이 뒷소문이라면 사족을 못 쓴다니까. 뭐, 그 사연이라면 얘기하고 싶은 동료도 많을 테니까…… 봐요, 가라쿠사 씨, 벌써 얘기해 주겠다는 동료가 있잖아요.

오늘도 재미난 얘기를 실컷 듣게 생겼네.

2

"고이, 누구랑 얘기하는 거야? 일전에 새로 들어온 금당가죽金唐革 가죽에 요철을 만들어 무늬를 그리고 거기에 금박이나 금칠을 하는 일본의 전통공예 지갑인가?"

"응, 이름이 가라쿠사래. 저번에 쓰루야에 불려 간 물품 가운데 하나야."

고이에게 질문한 것은 부상신 쓰쿠요미였다. 고이는 쓰쿠요미가 훌륭한 족자인 데다 기품도 이즈모야에서 으뜸이라고 가라쿠사에게 일러 주었다. 쓰쿠요미는 당연한 소리라는 듯 의젓하게 웃었다.

"그런데 가라쿠사, 스오라는 사람 이야기를 자세히 듣고 싶다고?"

가라쿠사가 고개를 끄덕이자 쓰쿠요미는 점잔 빼는 말투로 입을 열었다.

"이즈모야의 오누이 중에 누나인 오코는 오래전부터 스오라는 향로……라고 할까, 그런 이름을 가진 사람을 찾고 있지. 하지만 여전히 행방이 묘연한 상태야."

그런데 최근 오누이의 지인인 쓰루야라는 요릿집 주인 입에서 그 이름이 나왔다.

"스오가 쓰루야에 손님으로 왔다는 거야. 오누이는 스오의 거처를 알 수 있지 않을까 하며 안절부절못하게 되었지."

쓰쿠요미의 말로는 오누이가 쓰루야에 온 손님이 정말 스오가 맞는지 알아보려는 것 같단다. 그때 옆에서 쓰쿠요미의 이야기를 거드는 자가 있었다. 우사기였다.

"에이, 쓰쿠요미. 방금 한 얘기도 틀리진 않지만 너무 밋밋해서 제일 재미난 부분이 다 빠져 버렸잖아. 내 얘기를 들어 보라고, 가라쿠사."

스오라는 이름은 오코가 아는 남자의 배호俳号 하이쿠를 짓는 사람이 쓰는 필명였다. 오코는 그 이름을 내내 마음에 두었다. 덕분에 스오는 세이지에게도 잊지 못할 이름이 된 듯하다.

"이 이야기의 미묘한 부분이 이해됐나, 가라쿠사?"

"음, 저어, 그게……"

당황하는 가라쿠사에게 머리빗 부상신 우사기가 거침없이 말했다.

"답답하네. 그러니까 오코는 스오가 너무나 걱정인 거야. 세이지는 오코를 걱정하고. 그런데 스오는 어디 있느냐는 거지. 흥미로운 핵심은 바로 이거야."

그때 두 군데에서 웃음소리가 들렸다. 새된 소리의 주인은 호사스럽게 제작된 아씨 인형 오히메였다. 또 하나는 박쥐 모양의 네쓰케 노테쓰로, 이야기를 넘겨받았다.

"세이지는 스오가 마침내 나타났다는 이야기가 사실인지 확인하고 싶은 거야. 사실이라면 여러 가지로 각오가 필요할 테니까. 그래서 일전에 부상신들만 골라서 싼 요금으로 쓰루야에 빌려준 거지."

혹시나 스오가 다시 쓰루야에 온다면 관련한 이야기를 부상신들이 들을지도 모른다.

"우리가 쓰루야에 갔다가 뭔가를 주워들으면 이즈모야에 돌아와 다 이야기하겠지. 세이지는 그걸 기대하는 거야. 틀림없어."

부상신들은 모두 같은 의견인 듯했다. 세이지의 속셈은 훤히 보인다며 이야기꽃을 피웠다. 부상신들이 볼 때 세이지는 한참 어린 애송이였다.

"뭐, 세이지가 안달하고 있는 건 알겠지만."

그렇게 말하며 나선 것은 고이였다. 고이는 쓰루야의 기품 있는 객실에서 마키에蒔絵 옻칠에 금은 가루 등을 뿌리는 기법 담배쟁반에 놓여 있었다고 한다. 객실에 어울리는 훌륭하게 세공된 담뱃대인 덕분에 고이는 손님들의 대화를 바로 옆에서 보고 들을 수 있었다.

"오, 뭐 재미난 거라도 들었어? 들었으면 당장 풀어놔 봐."

"오히메, 물론 나도 비장의 얘기를 들려주고 싶어. 하지만 그걸……

말할까 말까 망설이는 중이야. 세이지가 저기서 저렇게 귀를 세우고 있으니."

그냥 말해 버리면 세이지의 계산대로 움직이는 것 같아서 기분 나쁘다는 것이다.

그런데, 그때 세이지가 한쪽 눈썹을 치켜들고 고개를 가로저었다. 마치 고이가 사실은 그리 대단한 이야기를 들은 것도 아닐 거라고 말하는 듯했다. 고이가 목청을 높였다.

"세이지는 아무것도 모르니까 저러는 거지. 내가 쓰루야에서 들은 것은 스오에 관한 이야기인데."

이 한마디 말에 주위 부상신들이 일제히 술렁거렸다.

"스오라고? 고이는 그 사람을 직접 봤어? 정말 쓰루야에 온 게로군. 그래, 어떤 남자였어?"

"물론 미남이겠죠?"

"무슨 얘기를 하던가요?"

가부키 배우 중에 누굴 닮았지? 무슨 얘기를 했지? 어서 말해 봐, 하는 채근이 고이에게 날아들었다. 쓰쿠요미, 오히메, 우사기도 시끌시끌하게 떠들어 댔다.

고이는 이렇게 다들 성화니 말하는 수밖에 없겠다고 못 이기는 척했다. 가라쿠사는 뭘 그렇게 의기양양하게 웃느냐고 고이에게 핀잔을 주었지만 고이는 시치미 뗀 얼굴로, 그럴 리가, 내가 얼마나 진중한데, 하고 말했다. 그러나 말투는 역시 의기양양했다.

"스오란 사람 말인데, 세이지 또래의 조닌이더군."

체격이 제법 듬직하고 외모도 나쁘지 않은 사내였다고 한다. 그러자 오히메가 반색을 했다. 잘생긴 남자라면 사족을 못 쓴다며 가게 안에 웃음소리가 일어났다.

스오는 그날 중요한 거래처라는 사람과 함께 왔다. 아사카와야라는 오십대 남자였다. 싱글벙글 잘 웃는 사람이었다.

"두 사람은 중요한 거래 이야기를 해야 한다며 음식을 처음부터 전부 내오게 하고 점원들을 물리친 뒤 둘이서만 조용히 이야기했어. 쓰루야는 세이지와 오코에게 이야기를 들어서인지 스오라는 손님을 주의 깊게 살피더군. 하지만 요릿집 주인이라는 사람이 복도에서 엿들을 수도 없었겠지."

그래서 스오의 이야기를 들은 것은 후카가와의 상인이라는 아사카와야와 고이뿐이었다.

"그런데 말이야."

고이는 일단 말을 끊었다. 아무도 모르는 사실을 이제부터 풀어놓을 참이다. 뜸을 들여 기대감을 한껏 높이려는 것이다. 일동의 눈길이 집중되었다.

"스오와 아사카와야는 엉뚱하게도 향로 이야기를 시작하더군. 그때 스오라는 이름이 배호라는 사실을 알았지. 그 사람의 본명은."

숨을 한 번 돌리며 다시 뜸을 들였다. 그리고 모두가 잘 들을 수 있게 또박또박 말했다.

"스오는 자기 본명이 우메시마야라고 했어."

그 말을 듣는 순간 세이지의 눈이 휘둥그레졌다. 안 듣는 척하는 중이라는 것도 잊은 듯했다. 그 모습을 노테쓰가 재미있어했다. 고이도 작은 소리로 웃고 이야기를 계속했다.

"쓰루야의 술자리 상황을 처음부터 설명하지. 젊은 우메시마야는 중년의 아사카와야와 기분 좋게 술을 마셨어. 거래 상담도 했고. 아사카와야는 당물점 주인 같더군."

잠시 후 거래 상담도 일단락되자 아사카와야는 도코노마에 장식된 향로로 시선을 옮겼다.

쓰루야에 있는 향로는 유령 우라하야나기가 깃들었던 청자다. 우라하야나기가 성불하여 사라진 탓인지 향로는 푸른 기운이 짙어져 평범한 도자기가 되어 있었다. 하지만 여전히 아름다운 공예품이어서 아사카와야는 손에 들고 살펴보며 큰 미소를 지었다.

"좋은 향로처럼 보이는군. 청자인가."

그 말에 우메시마야도 고개를 끄덕였다.

"형태가 부드럽고 특히 색조가 훌륭하네요. 푸른 기운이 부드럽게 섞였습니다. 꼭 비색秘色 같군요."

비색이란 당나라 천자에게 헌상되어 일반인의 사용이 금지된 청자기를 말하며, 인간의 기교가 미치기 힘든 청자색을 뜻하기도 한다. 연초록빛을 띤 청색이라고 우메시마야는 설명했다.

"비색 도자기는 겐지이야기 가운데 〈스에쓰무하나末摘花〉 권에도 나오지요."

"비색이라…… 손을 대서는 안 되는 색조의 도자기가 있단 말인가. 굉장하군."

흡사 남녀 간의 금지된 사랑 같다고 아사카와야가 얼핏 안 어울리는 말을 했다.

"색채가 고울수록 갖고 싶어지지. 차마 체념할 수 없는 연정을 품고 만다는 것인가."

향로를 보며 아사카와야가 굵은 눈썹을 쓱 치켜들었다. 묘하게도 그 얼굴이 얼핏 무섭게 보였지만 이내 인자한 웃음을 지으며 우메시마야 에게 물었다.

"우메시마야 씨는 향로에 해박하신 것 같군. 향로에는 물론 청자색 말고도 다양한 색이 있지. 우메시마야 씨는 어떤 걸 좋아하시오?"

"좋아한다고 할까…… 스오라는 제 배호가 실은 색깔의 이름이기도 합니다. 전에 스오라는 이름의 향로가 있었습니다. 유백색 바탕에 풀꽃은 검은빛이 연하게 섞인 붉은색, 그러니까 스오로 색을 낸 소방색 으로 그려져 있어서 붙은 이름이죠."

향로가 몹시 마음에 들어 우메시마야는 소방색을 의미하는 스오를 배호로 삼았다고 했다.

"호오…… 스오라. 그랬군. 배호의 유래가 된 향로라니, 멋지군. 언제 한 번 구경시켜 주시오. 아니, 근시일 내에 꼭 부탁합시다."

아사카와야가 간절히 말했다. 하지만 우메시마야는 곤란한 듯 고개를 저었다.

"보여드리고 싶지만 지금 저에게 그 향로가 없습니다. 향로 스오는 이상하게 사라져 버렸습니다."

"어허, 저런."

그 이야기가 호기심을 자극했는지 아사카와야가 상체를 앞으로 기울였다. 그러고는 기왕 이야기가 나왔으니 전말을 듣고 싶다고 완곡하게, 그러나 집요하게 청했다.

"저어…… 본업과는 관계가 없는 이야기입니다만."

"나는 상관없소. 자, 어서 들어나 봅시다."

이때 잠깐 아사카와야의 눈이 번뜩인 것처럼 보였다. 고이는 흠칫 놀라 담배쟁반에서 다다미로 떨어질 뻔했다고 한다.

우메시마야는 잠시 곤혹스런 표정을 지었지만, 거래처 아사카와야의 청을 차마 무시할 수 없었던 모양이다. 이럴 때 인간들의 갑을 관계를 알 수 있다고 고이는 말했다. 요괴와 달리 인간은 이익에 따라 움직이는 딱한 생물이다. 우메시마야는 술을 한 잔 들이켜고 망설이는 투로 이야기를 시작했다.

물론 향로 스오에 얽힌 사연이었다.

3

"어느 상인 집안의 장남이 있었습니다. 이름을 밝히기엔 여러 모로 부담스러우니 일단 다로라고 부르지요."

쓰루야의 한 객실에서 우메시마야는 아사카와야에게 이렇게 말머리를 꺼냈다.

다로는 시와 도자기를 애호하는 쾌활한 남자였다. 도자기 중에서도 특히 향로를 수집했다. 큰 상가의 장남이지만 아직은 후계자일 뿐이라 향로 수집에 큰돈을 쓰지는 못했다. 그래서 다로는 가게 근처에 있는 중고품점에 열심히 드나들며 귀한 물건을 발굴하려고 애썼다.

주변에서는 중고품점의 간판 처녀를 만나러 가는 게 아니냐는 말이 나돌았다. 작은 중고품점의 아가씨는 과연 미모가 뛰어났다.

하지만 다로의 부모는 후계자인 아들에게 집안의 격이 맞는 신붓감을 구해 줄 생각이었다. 쉽게 말해서 상당한 지참금을 가져올 수 있는 신부여야 했다. 그래서 아들에게 선을 보라는 말을 꺼냈다.

상대는 커다란 상점 주인의 딸이었다. 양가 부모도 딸 본인도 긍정적이라고 했다. 다로는 처녀가 반색할 만큼 잘생긴 청년이었다.

정작 당사자 다로만은 태도가 뜨뜻미지근했다. 하기야 아리따운 처녀가 이미 가까이 있으니 어쩔 수 없는 일이었다. 그러자 선을 본 처녀는 다로의 관심을 끌고 싶어선지 향로 하나를 인연이 깊은 물건이라면서 다로에게 선물했다.

"다로의 배호 스오와 똑같은 이름을 가진 향로였어요."

"오, 우메시마야 씨와 다로도 똑같은 배호를 갖고 있군."

우메시마야는 고개를 조금 끄덕이고 이야기를 계속했다.

아름다운 향로는 값비싼 물건이라고 했으며, 나무 상자에는 훌륭한 하코가키서화나 골동품을 담은 상자에 감정가나 작가가 진품임을 보증한 서명 날인도 있었다. 다로는 향로 스오가 마음에 드는 눈치였지만 그걸 받으면 결혼이 일사천리로 진행될 것이 뻔했다.

"그래서 굴뚝같은 마음을 찍어 누르고 향로를 돌려주려고 했습니다. 하지만 아가씨는 인연이 끊기는 것이 두려운지 여하튼 잠시 맡아 달라고 버텼습니다."

향로 스오는 잠시 다로의 방에 놓여 있었다. 그러던 어느 날 근처에 집 여러 채를 태우는 화재가 일어났다.

"아하, 그때 그……."

아사카와야도 기억이 나는지 저도 모르게 중얼거렸다.

"다로의 가게는 무사했습니다. 하지만 간판 처녀가 있는 중고품점은 화마에 당했지요."

게다가 중고품점 주인은 대피는 했지만 화상을 당하여 결국 피난했던 절에서 허망하게 죽고 말았다. 부인은 세상을 떠난 지 오래였다. 가게 물건도 모두 타 버려서 외톨이가 된 간판 처녀는 도저히 가게를 재개할 수 없을 것 같았다.

다로는 간판 처녀를 돕고 싶었겠지만 아직 가게를 상속받지 못한 처지였다. 몸을 거꾸로 매달고 흔들어도 그런 돈은 나올 수 없다.

그럴 때.

"다로 방에 있던 향로 스오가 없어진 겁니다."

"없어졌다? 다로가 내다 판 거요?"

"아뇨, 어느 날 방에서 사라진 겁니다. 높이 세 치, 폭 세 치인 둥글게 생긴 향로였어요. 다로의 방에는 버드나무 궤와 책상만 하나 있을 뿐이라 어디 감출 데도 없는데, 사라진 겁니다."

그날 맞선 상대인 아가씨가 노파 하녀와 함께 다로네 가게에 와 있었다. 아무래도 아가씨는 다로에게 깊이 반했는지 벌써 몇 번째나 다로네 가게를 방문하고 있었다. 혼담을 결정짓고 싶은 부모는 다로가 가게에 나가 있는 동안 아가씨와 노파 하녀를 다로의 방으로 들이고 말았다.

"잠시 후 다로가 마지못해 방으로 들어가자 그와 갈마드는 것처럼 노파가 자리에서 일어나 부엌으로 나갔습니다. 눈치껏 자리를 피해 준 거겠지요."

다로와 아가씨는 한 방에 단 둘이 앉아도 좀처럼 대화를 이어가지 못했다. 그러자 다로는 유일한 공통 화제인 향로 이야기를 꺼냈다. 일전에 선물 받은 향로는 오동나무 상자에 담긴 채 방 안 책상에 놓여 있었다. 하지만 다로가 상자를 드니…… 놀랍게도 상자가 너무 가벼웠다.

놀라서 끈을 풀자 오동나무 상자는 텅 비어 있었다. 그때부터 한바탕 소동이 일어났다. 다로는 향로가 언제 사라졌는지 알지 못한다고 했다.

"찾아보았지만 나오지 않았습니다. 그러자 방금 아사카와야 씨가 말씀하신 것처럼 다로가 내다 판 것은 아니냐고 의심하는 사람이 나왔습니다. 그렇죠, 중고품점 처녀를 돕기 위해서."

다로 외에 그 방에 있던 사람은 향로 주인인 아가씨뿐이지만, 그녀 역시 알지 못한다고 했다.

"누가 봐도 아가씨나 노파가 향로를 가져간 건 아니었다고 합니다. 때가 한여름이라 옷도 허리띠도 얇았거든요. 동글동글한 향로 같은 것을 몸에 숨겼다면 한눈에 알 수 있었을 겁니다."

게다가 두 사람 모두 그날 주머니 하나 들고 오지 않아 향로를 숨기고 돌아다닐 수 없었다. 외출할 때는 주머니를 들고 다니지 않는 사람이 많다. 금품을 넣은 주머니를 함부로 들고 다니다가는 도적에게 손목째 빼앗길 염려가 있기 때문이다.

"하녀에 따르면 아침에 청소할 때만 해도 오동나무 상자는 묵직했다고 합니다. 따라서 향로는 불과 일 각쯤 되는 사이에 없어졌다는 것을 알 수 있었습니다."

다로의 부모는 잘 아는 오캇피키를 불러 은밀히 조사해 달라고 부탁했다. 실은 잠자코 있고 싶었겠지만 주인인 아가씨가 분실 사실을 알고 있어서 어쩔 수 없었다.

오캇피키에게 가장 집요하게 질문을 받은 것은 역시 다로였다. 그래도 사라진 물건이 나오지 않자 향로를 분실한 다로의 집안은 난처해지고 말았다.

그러자 양가 부모가 급히 만났다. 그리고 당사자 다로는 젖혀 둔 채 혼담을 결정해 버렸다. 향로는 신부 지참금의 일부로 치기로 하고 혼담을 마무리 지은 것이다.

"내키지 않던 혼담이 정해져 버린 거군요."

다로는 곤혹스러웠다. 하지만 향로 스오를 찾지 못했으니 방법이 없었다. 결혼은 그대로 결정될 것처럼 보였다.

그런데 그로부터 며칠 지나지 않은 어느 날 아침.

"이번에는 다로가 가게에서 사라진 겁니다."

가족들이 놀라서 찾았지만 어디에서도 찾을 수 없었다. 나중에 알아보니 화재를 당한 중고품점의 간판 처녀도 피난했던 절에서 사라지고 없었다. 다로가 간판 처녀와 함께 도망쳤다는 소문이 나돌았다.

"목돈과 바꿀 수 있는 향로 스오를 들고…… 둘이서 가미가타교토를 중심으로 한 간사이 지방으로, 에도보다 상공업이 더욱 번성했다 쪽에라도 갔을까?"

아사카와야가 신음하듯 말했다. 우메시마야도 떨떠름한 얼굴을 하고 있었다.

"소문을 듣자니…… 다로의 집안이 정말 난처해졌다고 합니다."

"집안에서 향로 값을 변상했겠구먼."

"그뿐 아니라 맞선을 봤던 아가씨가 크게 낙담하고 만 겁니다. 이건 돈으로 해결할 수 없는 일이죠. 다로의 집안으로서는 낭패도 그런 낭패가 없었겠죠."

사건의 여파는 여전히 꼬리를 끌고 있다며 우메시마야는 고개를 저었다. 혼담이 무산된 지금도 가족들은 다로의 행방을 찾고 있다.

"그래, 가게를 물려받을 맏아들과 중고품점 간판 처녀는 찾았소?"

"아뇨, 아직입니다. 향로의 행방도 모릅니다."

다만 간판 처녀에 관한 소문이 전해진 적은 있었다. 후카가와에 살고 있는 듯하다는 소문이었다. 하지만 확실하지는 않다. 향로를 훔쳐 둘이서 도망쳤다면 그렇게 가까이에 자리 잡을 리가 없기 때문이다.

후카가와라면 가족에게 금방 알려지고 말 것이다. 아사카와야가 우메시마야의 낯을 살피듯이 쳐다보았다. 그리고 조용히 물었다.

"가게를 상속받을 장남은 정말로 향로 스오를 들고 도망쳤을까?"

"……다로는 훔치지 않았다고 말했답니다. 다만 향로와 다로와 간판 처녀가 사라진 것은 분명합니다. 다로나 처녀, 아니 향로 스오라도 발견되면 무슨 일이 있었는지 알지도 모르는데 말입니다."

"다로는 지금 다른 이름을 쓰고 있을지도 모르지. 찾기가 쉽지는 않겠어."

아사카와야의 말에 우메시마야가 고개를 끄덕였다.

"다로를 잘 아는지라 저는 향로 스오를 잊을 수 없습니다."

그래서 자신도 스오를 배호로 삼은 거라며 우메시마야는 이야기를 마무리했다.

"자, 쓰루야에서 들은 이야기는 여기까지야. 오, 오코가 가게에 나와 있었네. 내 얘기를 들었겠군."

고이의 목소리에 세이지가 얼굴을 옆으로 돌렸다. 어느 새 오코가 옆에 우두커니 서 있었다. 얼굴이 굳어 있다. 세이지와 눈이 마주치자 단호하게 말했다.

"나는 향로 같은 거 몰라."

오코는 냉큼 가게를 나가 버렸다. 세이지는 그 뒷모습을 눈으로 좇았지만…… 계산대에서 일어나지는 않았다. 주저앉은 채 일어서지 못하는 것 같기도 했다고 나중에 부상신들이 수군거렸다.

4

이튿날 세이지가 쓰루야에 얼굴을 내밀었다. 스오라는 배호를 가진 우메시마야에 대해 알고 싶었기 때문이다. 입을 다물어 버린 오코에게 물어보느니 차라리 직접 알아보는 편이 빠를 것 같고 마음도 편했다.

게다가 가게를 떠나 있으면 여봐란듯이 시끄럽게 떠드는 부상신들의 어수선한 수다를 듣지 않아도 된다.

'이봐, 우메시마야는 오코가 찾던 바로 그 스오 아냐? 우사기.'

'그러게 말이야, 쓰쿠요미. 십중팔구 그럴 것 같아. 누구라도 그렇게 생각하겠지. 세이지는 왜 얼른 달려가서 확인하지 않지?'

'쯧쯧, 참 궁둥이 무거운 젊은이라니까.'

"나도 그 정도는 생각하고 있어. 이놈의 부상신들! 누구한테 훈계조로 잔소리야!"

세이지는 잠시 불쾌한 얼굴을 하고 있었다. 하지만 요릿집 쓰루야의 주인이 객실에 나타나 온화한 웃음을 보이자 조금 부끄러움을 느끼며 일단 고개 숙여 인사했다.

쓰루야와 세이지는 전에 어느 사건을 겪으며 친해졌다. 그래서 쓰루야는 손님이 많은 상황인데도 세이지를 제일 안쪽 객실로 안내하고 이야기를 들어 주었다. 그러나 세이지는 만족할 만한 답을 알아내지는 못했다.

"미안하군요, 세이지 씨. 우메시마야 씨는 낯선 손님이라 아직 그분의 가게 위치까지는 몰라요."

"그래요? 아쉽네요."

그만 한숨이 새어 나왔다. 이때 쓰루야가 흠칫하며 고개를 들었다. 그리고 활짝 열린 장지 밖 복도를 걸어가는 손님을 쳐다보았다.

"오, 운이 좋네요. 맞아, 그랬지요, 마침 오늘이 아사카와야 씨가 오시는 날이었어요. 저분이라면 우메시마야 씨를 잘 아실 겁니다."

그 손님은 저번에 우메시마야와 동석했던 아사카와야였다.

'고이가 보았다는 사람이로군.'

쓰루야가 청하자 아사카와야는 기꺼이 세이지를 객실로 불러 주었다. 세이지는 쓰루야 옆에서 고개를 깊이 숙여 인사하고 후카가와에서 중고품점 겸 대여점을 하는 이즈모야 세이지라고 밝혔다. 그 방에는 서른이 안 돼 보이는 남자가 또 하나 있었다. 아사카와야의 친척이 하는 상점에서 지배인으로 일하는 곤페이라고 했다.

"오시자마자 방해를 해서 죄송합니다."

"아니오, 쓰루야 씨, 괜찮소. 그래, 우메시마야 씨와 관련해서 무슨 할 말씀이 있으시다고?"

아사카와야는 온후하고 미소를 잃지 않는 사람처럼 보였다. 그가 웃는 얼굴로 세이지를 보며 말했다.

"그래, 무엇을 알고 싶으신지?"

"저어, 우메시마야 씨의 거처를 아시는지요? 혹시 성함도 아시면 알고 싶습니다만."

"그야 우리 거래처니까요. 한데 무슨 일로 그러시나?"

일단 까닭부터 듣자고 했다.

"그게, 우메시마야 씨의 배호가 스오라고 들었습니다."

설마 부상신들에게 들었다고 말할 수도 없어서 적당히 얼버무렸다. 아사카와야가 고개를 크게 끄덕였다.

"잘 아시는군. 우메시마야 씨가 그렇게 말했지요. 그런데요?"

혹시 우메시마야가 자기가 전에 알던 사람이 아닐지 궁금하다고 세이지는 말했다. 그 사람의 배호도 스오였다면서.

"하지만 본명은 우메시마야가 아니었습니다. 그래서 우메시마야 씨와 제가 아는 스오가 혹시 무슨 관계가 있는지 확인하고 싶습니다."

세이지의 말을 들은 아사카와야가 그의 얼굴을 지긋이 쳐다보며 물었다.

"찾는다는 사람의 본명은 뭡니까?"

"이이다야 사타로라고 합니다."

세이지가 밝힌 순간 아사카와야의 눈이 휘둥그레졌다. 눈동자가 잠시 번쩍인 것 같기도 했다. 그가 벌떡 일어나 세이지 앞으로 다가와 앉았다.

"엇…… 아사카와야 씨?"

눈앞의 아사카와야는 여전히 미소를 짓고 있다. 그러나 온몸에서 풍겨나는 박력에 세이지는 저도 모르게 몸을 젖히고 말았다. 아사카와야는 세이지의 얼굴을 들여다보는 것처럼 몸을 기울였다. 그의 얼굴이 세이지의 코앞으로 다가왔다.

"이즈모야 씨는 왜 이이다야 사타로 씨를 찾습니까?"

부드러운 말투였으나 눈의 힘은 강렬하여 세이지를 곧장 꿰뚫을 것 같았다.

'어, 이건 뭐지?'

저도 모르게 아무 말이나 주워섬길 뻔했다. 하지만 이 문제에는 오코가 얽혀 있다. 방금 처음 만난 사람에게 모든 전말을 밝히기는 꺼려졌다.

"그러니까 오래간만에, 그…… 이이다야 사타로 씨를 만나고 싶어서요."

"오호, 어릴 적 동무를 찾으시나? 그렇군요. 우메시마야 씨의 가게는 후카가와에 있어요. 우메시마야 씨의 본명은…… 아마 마타고로라고 했던 것 같군요."

"마타고로? 아아, 아니었군요."

스오는 색깔 이름이므로 배호로 삼는 사람이 또 있다고 해도 이상한 일은 아니다. 적잖이 실망하는 세이지에게 아사카와야가 짐짓 자상하게 덧붙였다.

"지금은 그 이름을 쓰고 있는 것 같습니다만."

"네? 지금은, 이라뇨?"

"마타고로 씨는 얼마 전 데릴사위로 들어가며 니혼바시에서 후카가와로 이주했다고 합니다. 데릴사위로 들어갈 때 이름을 바꾸는 경우가 종종 있지 않습니까."

"네? 그렇다면……"

아사카와야는 세이지에게 우메시마야의 위치를 구체적으로 가르쳐 주었다.

'됐다. 이제 우메시마야가 스오…… 그러니까 사타로 씨인지 아닌지 확인할 수 있게 되었다.'

하지만 만날 수 있다는 사실이 확인된 순간 세이지는 그 상점을 찾아가 봐야 할지 말지를 놓고 눈앞에 있는 사람들도 잊은 채 망설였다.

'우메시마야에 가서 마타고로 씨가 사타로 씨라는 것을 확인한다면…… 나는 어떻게 해야 하지?'

오코에게 알려야 하나? 우메시마야는 데릴사위로 들어가며 후카가와로 이주한 참이라고 했다. 부인이 있다는 말이다. 이제 와서 사타로와 오코를 만나게 해서 뭘 어쩌자는 것인가.

'하지만 오코는 내내 사타로 씨를 걱정했는데.'

여하튼 다시 만나면 오코의 응어리가 풀릴까?

'아아, 어쩌지.'

머릿속에서 생각이 빙빙 돈다. 표정이 굳은 채 시선을 다다미로 떨어뜨리고 있자 바로 앞에 앉아 있던 아사카와야가 세이지의 어깨를 가볍게 툭 쳤다.

5

"들었어? 세이지가 이상해졌어."

의아해하는 목소리가 이즈모야 안에 가득 울렸다. 오늘도 문을 닫는 순간부터 부상신들이 신나게 떠들기 시작한 것이다.

"하루도 조용한 날이 없군."

계산대에 있던 세이지는 붓을 멈추고 내일은 제일 먼저 저 부상신들부터 대여해 버리자고 마음먹었다. 그러면 잠시라도 시끄러운 수다를 듣지 않을 뿐만 아니라 돈도 벌 수 있다.

부상신들은 늘 그랬던 것처럼 대꾸하지 않았지만 세이지의 말을 듣기는 한 모양이다. 노테쓰가 앙갚음이라도 하듯 더 커다란 목소리로 말하기 시작했다.

"세이지는 아사카와야가 일러 준 대로 스오가 있는 우메시마야로 찾아갔어. 우메시마야를 대면하게 될지도 모르니 옷을 잘 차려 입고 가자는 생각을 했나 봐. 이 몸 노테쓰를 네쓰케로 매달고 갔지. 덕분에 좋은 구경을 할 수 있었어."

아사카와야는 친절하게도 쓰루야에 함께 왔던 곤페이를 세이지에게 붙여 주어 우메시마야까지 길 안내를 맡겼다. 곤페이는 우메시마야의 내밀한 이야기를 들을 수 있도록 빠릿빠릿하게 손을 써 주었다.

"아사카와야 씨 소개로 왔다고 하면 그쪽 사람들이 예의 차리기에 급급하니 본심을 듣기가 힘듭니다. 모든 걸 제게 맡겨 주세요."

곤페이는 그렇게 말하고 우메시마야의 안채로 세이지를 데려갔다. 그리고 상점의 안살림을 돕는 일꾼들에게 자기가 잘 아는 대여점 주인이라며 세이지를 소개했다. 덕분에 세이지는 부담을 덜 수 있었다. 부상신들 목소리가 뒤를 이었다.

"곤페이가 수완이 좋네."

쓰쿠요미가 고개를 끄덕였다. 이때 노테쓰가 한숨을 쉬며 말했다.

"물론 나는 그 가게에서 많은 소문을 주워들었지."

하지만 데릴사위로 들어온 마타고로가 이름을 바꾸었다는 이야기는 전혀 나오지 않았다.

"역시 마타고로는 이이다야 사타로가 아닌 것 같아. 세이지가 실망했지."

그러나, 하며 노테쓰는 짐짓 뜸을 들였다.

"곧 생각지도 못한 이야기가 나오더군."

부상신들이 이내 조용해졌다. 모든 시선이 노테쓰에게 쏠렸다. 노테쓰는 의기양양하게 이야기를 계속했다.

"우메시마야에 동행한 곤페이가 그곳에 드나드는 행상에게 솔깃한 얘기를 들은 거야. 그 행상은 데릴사위로 들어온 마타고로의 친가를 알고 있더군."

"오, 어느 집안이래?"

가게 안이 수런거렸다.

"이봐, 노테쓰. 잘난 척 그만하고 얼른 얘기 좀 해. 어느 집안이래?"

"어디라고 했더라."

노테쓰가 재미있다는 듯이 말하는 순간, 쿵, 하고 둔탁한 소리를 내며 선반에서 나무 상자 뚜껑이 하나 떨어졌다.

"왜 이래! 알았어. 화내지 마, 쓰쿠요미."

노테쓰의 조금 주눅 든 목소리가 들렸다.

"이이다야래. 우메시마야 마타고로의 친가는 스오, 그러니까 사타로의 집안인 이이다야였다고!"

"그러니까 마타고로는 이이다야 사타로의 형제였군!"

"동생이래."

오오, 하는 소리가 여러 곳에서 들렸다.

"세상에, 이야기가 결국 이이다야로 연결되었네."

"거 참 재미있네. 형제가 똑같은 배호를 쓰고 있었단 말인가. 아니, 행방을 감춘 형의 배호를 동생이 의도적으로 쓴 건가? 같은 배호를 쓰는 사람이 있더라고 누군가 말해 줄지도 모르니까."

"그렇겠지, 음, 마타고로라는 사람은 형을 찾고 있던 게 틀림없어."

자, 상황이 재미있어졌네, 하는 소리가 나오고 대화는 더욱 왁자해졌다. 노테쓰는 자기가 커다란 화제를 내놓았다는 생각에 의기양양한 모습이었다.

"세이지는 니혼바시에 산 적이 없어서 사타로 형제하고는 인면이 없어. 그러니 동생이 어느 집안에 데릴사위로 들어갔는지 몰랐던 것 같아."

"이이다야 어른들은 사라진 사타로를 걱정하고 있을까? 아니면 향로를 들고 도망친 아들에게 화가 나 있을까."

부상신들은 저마다 가설을 내놓았다. 세이지는 곤페이에게 그 이야기를 듣는 순간 우메시마야 구석에 주저앉고 말았다.

'사타로 씨는 여기에 없구나. 이이다야에 돌아온 것도 아니고. 이번에도 만나지 못했네!'

품었던 희망이 하릴없이 사라지고 추적해 볼 단서도 없었다. 온몸에 맥이 탁 풀리는 것 같았다. 그런데.

"이즈모야 씨, 뭘 그리 낙담하세요."

그때도 곤페이가 세이지보다 빠르게 움직였다. 곤페이는 세이지에게 당장 니혼바시에 있는 이이다야에 가 보자고 말했다.

"우메시마야에는 사타로 씨를 잘 아는 사람이 없는 것 같습니다. 하지만 이 상점의 고참 점원이 마타고로 씨의 친가인 이이다야의 점원을 잘 안다고 합니다."

우메시마야와 이이다야는 주인이 가족지간이었던 만큼 두 가게 사이에 교류가 있는 듯했다. 곤페이는 이미 고참 점원에게 소개를 부탁해 둔 상태였다.

"이번에도 이이다야의 안채 쪽에 세이지 씨를 소개해 줄 수 있게 됐습니다. 아마 그곳에서도 일꾼들한테 다양한 이야기를 들을 수 있을 겁니다."

이번에야말로 사타로의 소식을 들을 수 있을지도 모른다. 사타로는 이이다야를 물려받기로 되어 있던 장남이니까. 곤페이는 성실해 보이는 얼굴에 웃음을 지으며 우메시마야 안채에서 세이지를 재촉했다. 세이지는 가 보자고 흔쾌히 대답하려다가…… 말을 삼키고 말았다.

문득 이상한 기분이 스쳤던 것이다.

'곤페이 씨가 왜 이렇게까지 나에게 잘해 주지? 혹시 이것은 친척인 아사카와야 씨의 의향일까.'

누구의 뜻이든 그 의도를 알 수 없었다.

'어제 쓰루야에서 인사할 때까지도 아사카와야 씨나 곤페이 씨는 생판 타인이었는데.'

그런데도 우메시마야에 대하여 묻자 기꺼이 가르쳐 주었다. 세이지는 두 사람이 친절하다고만 생각했다. 그러나 곤페이가 마타고로의 가게까지 동행해 준 데는 조금 놀랐다. 게다가 이이다야에도 같이 가 주겠다고 한다. 세이지를 도와주겠다는 것이다.

석연찮은 기분이 점점 깊어졌다.

'왜 나를 이이다야에 데려다주려는 거지?'

세이지는 고개를 갸우뚱거리다가 새삼 곤페이를 바라보았다.

"곤페이 씨, 이이다야에 가도 사타로 씨는 없잖아요. 여전히 행방을 모르는 상태니까."

"하지만 형제가 굳이 똑같은 배호를 쓴 까닭은 알 수 있을지 모르잖아요."

'어? 집요하네. 마치 곤페이 씨도 이이다야 사건에 관심이 많은 것 같지 않은가?'

그러나 곤페이는 아사카와야의 지배인도 아니다. 아무리 친척의 부탁이라지만 언제까지나 자기 일을 젖혀두고 세이지를 돕다가 주인에게 혼나지 않을까?

'왜 빨리 용무를 끝내고 가게로 돌아가려고 하지 않지?'

하지만 세이지가 그런 의문을 떠올릴 때 곤페이는 "일단 가 봅시다" 하며 서둘러 밖으로 나갔다. 세이지가 당황하며 쫓아나가 우메시마야 옆의 기도지붕 없는 쌍여닫이 나무 대문으로, 지역 간의 경계에 설치되었다 밖에서 곤페이의 옷소매를 붙잡고 물었다.

"왜죠?"

"네? 뭐가요, 세이지 씨?"

"아사카와야 씨와 곤페이 씨는 왜 저를 이이다야에 보내려고 하는 겁니까?"

"이런, 이이다야 사타로 씨를 찾고 싶은 분은 그쪽인 줄 압니다만."

곤페이가 상점 울타리에 기대며 씩 웃었다. 방금 전까지 친절하다고만 생각했던 젊은 얼굴이 왠지 지금까지와는 달라 보였다. 아니, 불안한 마음으로 다시 바라보니 무슨 꿍꿍이가 있는 것처럼 보이기도 했다.

"저어…… 스오, 그러니까 이이다야 사타로 씨에게 곤페이 씨와 아사카와 씨도 꽤 관심이 있어 보이는군요. 어째서요?"

그 말에 곤페이는 희미한 미소를 지으며 세이지의 눈을 쳐다보았다.

"이런, 내키질 않는 모양이군요. 이이다야에 가는 건 그만둘까요?"

곤페이는 억지로 가자고는 하지 않겠다며 당장이라도 돌아가 버릴 기세였다. 그 말을 들으니 이대로 끝내기도 불안했다.

'왠지 곤페이 씨에게 휘둘리는 것 같긴 하지만……'

세이지는 망설이면서 잠자코 시선을 땅바닥으로 떨어뜨렸다.

'오코는 늘 스오 생각뿐이다. 그러니……'

세이지가 이이다야에 가서 자세한 전말을 들어 보고 싶은 것도 그 때문이다. 그러나 세이지는 사타로의 가출과 관련이 있다고 알려진 오코의 가족이다. 이이다야에 함부로 얼굴을 내밀 처지가 아니다. 아니, 이번처럼 중간에 연줄을 놓아 평범한 대여점 주인으로서 안채에 파고들지 않는다면 언감생심 이이다야에 들어가 볼 수도 없을 것이다. 앞으로도 더욱 힘들 게 분명하다.

'나는…… 어떻게 하고 싶은 걸까? 곤페이 씨는 나에게 뭘 원하는 거지?'

곤페이는 떠나지도 않고 조금 얄궂은 얼굴로 옆에 서 있었다. 도무지 납득할 수 없고 의아한 점투성이인 그의 태도를 깨끗이 무시하고 당장 과감하게 이이다야로 가야 할까? 아니면 의아한 상황을 고려해서 그만둬 버려야 할까.

세이지 앞에 갈림길이 놓여 있다. 옆에 있는 곤페이는 문제를 던진 장본인이면서도 얄미울 정도로 침착해 보였다. 그런 모습이 묘하게 비위에 거슬려 세이지는 입술을 씰룩거렸다.

결국 세이지는 이이다야로 향했다.

의혹과 망설임은 일단 속으로 삼켰다. 스오를 둘러싸고 무슨 일이 있었는지를 알아내기 위해 움직이기로 작정한 것이다.

이이다야는 니혼바시 북쪽 대로변에 점포를 가진 대형 당물점이다. 외래품이라면 없는 게 없는 가게이다. 취급하는 물품은 값비싼 의자나 산호, 비로드, 나사, 값비싼 대형 접시 등이며, 요컨대 나가야에 사는 서민들은 드나들 일이 거의 없는 고급 가게였다.

똑같이 잡다한 물품을 취급하는 가게라지만 중고품점 이즈모야하고는 격이 달랐다. 지붕에 세워진 훌륭한 우다쓰지붕이 길게 이어진 건물의 지붕 위에 세우는 장식성 강한 방화벽가 윤택한 재정 상황을 세간에 과시하고 있었다.

세이지는 우메시마야에서 일단 이즈모야로 돌아가 부상신들을 보자기에 싸 들고 곤페이와 함께 니혼바시로 향했다. 곤페이는 이이다야에서도 빈틈없이 다리를 놔 주었다. 덕분에 세이지는 정체를 드러내지 않고 그곳 일꾼들 속으로 매끄럽게 파고들 수 있었다.

세이지는 이곳에서도 늘 쓰는 방법을 썼다. 인사조로 물품을 공짜로 대여해 주겠다고 제안한 것이다. 역시 이이다야 사람들도 크게 반겼다. 일꾼들이 마음대로 외출하지 못하는 상점에 값싼 대여점 물품을 내놓으면 누구라도 환영하게 마련이다.

물론 이번에 빌려준 물품들은 전부 부상신이다. 기분이 상했는지 노테쓰가 희미하게 볼멘소리를 냈다. 세이지가 탁 쳐서 그 소리를 틀어막고 친절한 웃음과 함께 이이다야 일꾼들에게 물품을 넘겨주었다.

6

"바보 같은 세이지."

"멍청이라니까. 늘 생각이 모자라."

"어쩔 수 없잖아. 애송이니까."

"부상신들만 부려먹으려 들면 더 이상 일 못 해."

이튿날 해 질 녘. 장사를 마치고 문을 닫자 이즈모야는 이내 불만의 소리로 가득 찼다. 세이지는 계산대에 앉아 얌전히 그 소리를 들으며 일하고 있었다.

기염을 토하는 것은 물론 노테쓰, 쓰쿠요미, 우사기, 고이 등이었다. 세이지가 어제 이이다야에 대여했다가 회수해 온 면면이다. 가게 선반으로 돌아오기 무섭게 부상신 대우가 이게 뭐냐고 불평하기 시작했다.

"아무리 사타로가 이이다야를 상속할 장남이라지만 자취를 감춘 지 오래잖아. 일꾼들이 지금까지 가게에서 그 사람 얘기를 하고 있을 리가 없지."

"암, 그렇고말고."

"헛된 기대를 품고 우리를 이이다야에 들여보낸 세이지가 바보지!"

'오늘은 유난히 목소리가 크네.'

세이지가 저도 모르게 발끈할 만한 말들이지만 일단 틀린 말은 아니었다. 그래서 세이지는 부상신이 들어 있는 상자들을 던져 버리고 싶은 감정을 억누르며 장부를 정리했다.

오늘 가게에는 오코도 나와서 물품들을 닦고 있었다. 하지만 부상신들은 개의치 않고 세이지에 대한 험담을 거침없이 쏟아냈다.

"얼간이 세이지에 비하면 이이다야에 함께 간 곤페이 씨는 꽤 괜찮은 사람 아냐?"

"그럼, 그럼, 정말 훌륭한 사람이더군."

"일꾼들 속으로 매끄럽게 파고든 데다 옛날 일까지 기억 속에서 끄집어냈으니까."

"세이지하고는 딴판이야. 대여한 중고품 이야기를 하다가 교묘하게 향로 이야기를 끄집어낸 것도 곤페이 씨였지. 그리고는 화제를 스오쪽으로 몰아가더군."

스오 이름이 나오자 이이다야네 주방에서는 사타로에 관한 일을 많이 알고 있는 하인이 나타나 이런저런 이야기를 해 주었다. 물론 일하는 중이라 오래 이어지지는 않았다.

그러나 세이지와 곤페이가 돌아가고 가게 뒷정리가 끝나자 이이다야 안채에서는 오래간만에 사타로에 대한 이야기가 오갔다. 부상신들은 그 이야기에 가만히 귀를 기울였다.

"일꾼들이 하는 말에 따르면 스오 사건에서 제일 이상한 점은 역시 사타로의 방에서 소방색 향로 스오가 사라진 거라더군."

가게 선반에 노테쓰의 목소리가 울렸다. 이이다야 일꾼들은 지금도 그 일을 이상하게 여기고 있다. 향로 스오는 혼담이 오가던 오카노가 사타로에게 선물로 준 값비싼 물건이어서, 나무 상자에 담긴 채 사타로의 방에 소중하게 놓여 있었다.

"향로가 사라진 그날도 오카노가 방문하기 조금 전에 하녀가 방을 청소했어. 나무 상자는 분명히 묵직했다고 하더군. 속에 들어 있었다는 거지."

그랬던 것이 얼마 지나지 않아 빈 상자로 변했다. 노테쓰가 가만히 말했다.

"사타로가 향로를 훔쳐서 처녀랑 도망쳤다는 이야기는 일꾼들에겐 이상할 것도 없다더군. 하지만 그게 사실이라면 사타로는 도망치기 며칠 전이 아니라 도망치는 당일에 향로를 꺼내면 됐을 것이다, 그런 말도 하더라고."

사타로라면 향로를 언제라도 가져갈 수 있었으니까. 하녀가 매일 청소하러 방에 들어온다는 것은 사타로도 알고 있었다. 당시 오카노도 종종 사타로를 찾아오곤 했다. 나무 상자를 비우면 향로가 없어졌다는 사실이 드러나고 말 것이다.

"그런데도 사타로는 사라지기 전까지 향로를 어딘가에 감춰 두고 가게에 나가 일하고 있었다는 말이 되잖아. 이상한 이야기지."

우사기가 의아한 듯이 말했다.

"정말 향로를 훔친 사람이 사타로일까?"

"오코와 도망치려면 돈이 필요했겠지. 스오를 팔고 싶어서 훔쳤을 거야."

"……이봐, 노테쓰, 좀 이상하지 않아? 오코는 이즈모야에 있어. 여기 사타로 같은 사람이 있었던 적은 없잖아."

애초에 사타로는 당물점을 물려받을 장남이다. 도피 자금이 필요했다면 가게 돈을 훔치거나 당물을 내다파는 등 얼마든지 방법이 있었을 거라고 고이는 말했다.

"게다가 부모 돈을 훔쳐서 나가는 게 뒤탈이 적잖아. 오카노까지 끌어들인 탓에 커다란 소동이 된 거야."

고이가 이야기를 마치자 잠시 정적이 가게를 감쌌다. 노테쓰가 불쾌한 듯이 말했다.

"오코가 나빠. 오코가 일을 어렵게 만들고 있다고."

그러자 가라쿠사가 끼어들었다. 신참이라 쉽게 끼어들지 못하여 무료하게 듣기만 한 듯했다. 어렵게 이야기에 끼어들자 자신의 추측을 거침없이 피력했다.

"그럼 사타로가 아니라 점원이 훔쳐서 내다팔았을 가능성은 어때요? 돈이 궁한 누군가가 가게 물품을 몰래 내다파는 건 흔한 일 아닌가요?"

그리고 혼담이 싫어 가출해 버린 사타로에게 그 죄를 덮어씌운 것 아니냐는 것이다. 하지만 이 가설은 노테쓰가 받아들이지 않았다.

"점원이 훔쳤다면 향로 스오는 어디로 간 거지? 혼담 상대인 오카노 씨를 생각해서라도 이이다야는 온 집안을 샅샅이 뒤져봤다고 하지 않았어?"

향로는 집 안에 숨겨져 있지 않았다. 뿐만 아니라 후카가와 근방의 중고품점에서 향로 스오가 매매된 일도 없었다. 아니, 이이다야는 부근 중고품점만이 아니라 니혼바시 등 가능성이 있는 곳은 모두 조사했다고 한다. 그래도 향로는 나오지 않았다.

이때 불쑥 노테쓰가 오오, 하는 소리를 냈다.

"……맞아. 굉장한 생각이 하나 떠올랐어."

호기심에 가게 안이 조용해졌다.

"이런 게 아니었을까? 그 향로는 아주 오래된 물건이라 아마 부상신이었을 거야. 그러니까 스스로 사타로 방에서 도망친 게 분명해!"

"오오, 그런 수도 있겠군."

부상신들이 일제히 웅성거렸다. 동료들이 동요하는 모습을 보이자 노테쓰의 말 한 마디 한 마디에 확신이 넘쳤다.

"우리가 전에 만났던 쥐 모양 네쓰케 리큐네즈미 같은 거지. 부상신이라면 스스로 도망칠 수 있어. 오호, 이런, 이런, 내가 봐도 기발한 생각이야."

노테쓰가 자화자찬했다.

그런데, 잠자코 부상신의 이야기를 듣던 세이지가 불쑥 오코에게 얼굴을 돌리며 말했다.

"누나, 스오라는 향로가 언제 만들어졌는지 알아?"

오코가 고개를 끄덕였다. 세이지와 오코는 막 구워져 나왔다는 스오를 보았다. 세이지가 계속 말했다.

"내가 이이다야에 갔다가 들은 이야기인데, 그 향로를 만든 장인은 이제 쉰 살이 넘었대."

아직 살아 있는 사람이다. 즉 향로가 구워진 것은 불과 수십 년 안쪽이다.

"그러니까 스오는 아직 부상신이 되지 않았어. 세월이 부족해."

세이지의 이야기는 오코에게 하는 것처럼 들리지만 실은 부상신들에게 하는 말이었다. 선반 위의 부상신들은 즉시 알아들었지만 인간따위가 자신들의 이야기를 부정한다는 사실을 받아들이지 못하는 듯했다. 부상신들이 일제히 침묵해 버렸다. 더구나 험악한 기운까지 스멀거렸다.

부상신들은 잠시 입을 다물었다가 다시 목소리를 내기 시작했다. 이야기가 더욱 흥미로워지는 터라 잠자코 있을 수 없었던 것이다.

"들었어? 세이지가 우리 얘기에 토를 달았어. 들었냐고."

"응, 들었어. 들었다고. 쓸모없는 애송이가 뭘 잘났다고 주제를 모르고 부상신 말에 토를 달아. ……그런데 향로는 아직 부상신이 될 수 없는 나이였다고?"

"……그게 사실일까? 노테쓰."

"나도 모르지."

"어허, 이런, 이런."

"바보 같은 세이지! 괜한 소리나 하고."

노테쓰 목소리가 들린다 싶더니 갑자기 가게 선반에 진열된 부채가 튀어나왔다. 제법 거리가 있었음에도 부채는 가게 안을 미끄러지듯 날아가 세이지의 이마에 멋지게 명중했다.

"……악, 아파."

세이지가 못마땅한 얼굴로 계산대에서 벌떡 일어서 물품 선반으로 성큼성큼 다가갔다. 그러더니 천천히 나무 상자를 집어 들고 위아래로 거칠게 흔든다.

"어어, 어어어어……."

상자 속에서 혼란에 빠진 목소리가 들린다 싶더니 이내 그쳤다. 세이지는 홈, 하고 콧김을 한 번 내뿜었다.

"뭐? 날 보고 멍청하다고? 멍청한 생각을 하는 건 너희들이야."

그 순간 선반 여기저기서 세이지를 향해 물품이 날아들었다. 나무 상자 뚜껑, 끈, 책, 개중에는 벼루까지 있었다. 벼루는 깨지기 쉬운 물건이다. 세이지가 놀라서 황급히 벼루를 받아들자 뒤미처 먹과 찻잔까지 날아왔다. 가게 안이 온통 물품으로 어지러워지자 세이지가 고함을 질렀다.

"이 자식들을 그냥! 당장 그만두지 않으면 바닥에 다 던져 버린다! 그래서 깨지고 흠집이 나면 더 이상 부상신으로 살아갈 수 없을 거다!"

그렇게 말하는 입으로 금당가죽 지갑이 날아들었다. 지갑이 마룻바닥에 떨어지면서 세이지의 잔을 넘어뜨려 깨뜨려 버렸다.

"어, 이게 무슨 짓이야. 잔을 보수해야 되게 생겼잖아!"

화를 내며 지갑을 되던지려던 세이지는 빗자루로 호되게 뒤통수를 얻어맞았다.

"악…… 아파."

"언제까지 멍청한 짓을 하고 있을래. 그만둬!"

빗자루를 휘두른 것은 오코였다.

사방등 불빛 속에서 보니 오코의 얼굴이 염라대왕의 누이처럼 보여서 무섭다. 오코는 세이지와 부상신들 앞에 빗자루를 들고 버티고 서 있었다. 오늘 오코는 부상신에게도 상냥하지 않아서, 바닥에 나뒹구는 노테쓰 역시 빗자루로 호되게 얻어맞고 제압되었다.

"세이지! 가게 주인이라는 사람이 언제까지 애들처럼 굴래!"

엄격한 모습이다.

"이제 이런 짓은 그만둬. 물론…… 다 지난 일인데 여전히 스오를 생각하고 있는 나도 잘못이지만."

노테쓰가 빗자루 밑에서 슬금슬금 빠져나가려고 했다. 하지만 오늘 오코는 보기보다 더 불쾌한 듯했다. 도망치려는 노테쓰를 다시 빗자루로 콱 찍어 누르며 말했다.

"더 이상 스오 일에 상관하지 마. 나도 이제 잊을 테니까."

이 말에 부상신들이 동작을 딱 멈췄다. 모처럼 만난 흥미진진한 이야기가 사라질 판이다. 그것이 못마땅한지도 몰랐다.

세이지는 입술을 깨물고 우두커니 서 있었다. 오랫동안 스오를 찾았지만 찾을 수 없었다. 향로도 어디 있는지 모른다. 이제 끝난 일로 여기는 게 좋겠다고 세이지도 생각한다. 그러나.

'누나는…… 정말 잊을 수 있을까.'

세이지는 자기 발치를 노려보듯이 내려다보고 있었다. 오코는 세이지에게 빗자루를 넘겼다.

"가게 물건들이나 제자리에 깨끗이 정리해 놔."

오코는 정리 작업도 거들지 않고 안으로 들어가 버리려고 했다.

그때.

"저어, 뭔가 좀 어수선한 것 같군요."

밖에서 조심스러워하는 목소리가 들렸다.

'이런, 방금 그 소동을 다 들었나?'

오코가 걸음을 멈추었다. 세이지도 저도 모르게 얼굴이 굳어졌다. 하지만 부상신을 들키진 않고 겨우 우당탕거리는 소리나 들었으리라 믿고 대응에 나섰다.

문을 열고 보니 낯익은 모습이 서 있었다.

"곤페이 씨."

'바로 어제 만났지 않은가. 무슨 일로 이즈모야까지 찾아왔지?'

역시 곤페이란 사람은 알 수가 없다. 수상하다. 아까 일으켰던 소동은 젖혀둔 채 미간을 찡그린 세이지는 오코를 보호하려는 듯이 가게 마루턱에 앉았다.

그러자 곤페이가 빙긋이 웃는 얼굴이 되었다.

"다름이 아니라 이즈모야 씨가 어제 이이다야 점원들에게 물품을 대여하셨잖아요? 오늘 회수하러 갔다가 무슨 새로운 이야기라도 들으셨나 해서요."

곤페이는 심부름을 나왔다가 그게 궁금해서 이즈모야에 들러 봤다고 했다.

"우리 가게 위치를 용케 아셨네요, 곤페이 씨."

"그건…… 어제 이이다야 점원들에게 세이지 씨가 일러주시는 것을 들었거든요."

곤페이는 그때 세이지의 이야기를 귀담아 들었던 듯하다. 오코가 옆에서 얼굴을 내밀고 곤페이에게 미안해하는 투로 말했다.

"세이지가 폐를 끼쳤나 봅니다. 가게가 몹시 어지럽지만 여기에라도 앉으시지요."

물건들로 어지러운 가게 내부를 둘러본 곤페이가 쓴웃음을 지었다.

"선반을 다시 정리하시는 중인가요?"

괜찮다면 이야기를 나누며 작업을 도와드릴까요, 하고 곤페이가 말했다.

"안 그러면 내일 영업하시기가 힘들어 보이네요, 안주인님."

"어머, 세이지는 제 동생이에요. 저는 누나 오코라고 합니다."

오코가 자연스럽게 자기소개를 했다. 그러자 엉망이 돼 버린 가게 내부를 보고도 아무렇지 않던 곤페이가 그야말로 벼락에라도 맞은 양 온몸이 굳어졌다.

"오코? 후카가와에서 중고품점을 하던 오코 씨?"

마치 믿어지지 않는 것을 보는 듯한 눈초리로 오코에게서 시선을 떼지 못한다. 세이지가 미간을 잔뜩 찡그렸다.

7

곤페이는 눈만 휘둥그레 뜨고 있었다. 세이지는 그의 손을 잡고 가게 앞으로 끌고 가서 앉혔다.

그러고는 정면으로 쳐다보며 물었다.

"누나가, 왜요?"

곤페이를 보니 여전히 오코에게서 눈길을 떼지 못하고 있었다. 그러다가 연거푸 질문을 던졌다.

"태어난 곳이 어디죠?"

"저어, 오코 씨는 언제부터 이즈모야에 있었습니까?"

"다른 동거인은 없습니까?"

오코는 처음 만난 곤페이의 물음에 순순히 대답해 주었다.

"니혼바시에 살았는데, 화재로 가게가 불타 버렸어요. 그때 아버지가 돌아가셨죠. 그 뒤 후카가와로 와서 지냈습니다."

세이지의 양부는 오코의 숙부였다. 그래서 홀로 남은 오코가 이즈모야에 오게 된 것이다.

"그랬습니까."

그렇게 대답하며 곤페이는 점점 울상으로 변했다. 그러다가 크게 한숨을 토해 냈다.

그런 곤페이에게 세이지가 차가운 얼굴로 물었다.

"곤페이 씨, 혹시 당신도 이이다야 사타로 씨를 찾고 있습니까?"

처음 얼마 동안은 세이지를 도와주는 친절한 사람으로 여겼는데 사실은 곤페이가 세이지를 이용해 사람을 찾으려는 게 아닐까 하는 생각이 들었다.

곤페이는 세이지의 말이 귀에 들어오지도 않는 듯 오코에게 몸을 돌렸다.

"그러면 스오…… 그러니까 사타로 씨의 가출과 오코 씨는 무관한 건가요? 사타로 씨는 여기에 없는 거군요. 행방도 모릅니까?"

오코가 고개를 끄덕였다.

"세이지 씨는 오코 씨를 위해 사타로 씨를 찾고 있었던 거군요."

"화재가 나고 얼마 후 사타로 씨가 실종되었다는 소식을 들었습니다. 그 뒤 누나가 내내 신경을 쓰고 있어서."

곤페이가 길게 숨을 토해 냈다. 세이지가 곤페이를 똑바로 쳐다보며 말했다.

"넓지도 않은 가게이니 얼마든지 뒤져봐도 좋습니다. 그 참에 뒤진 자리나 정리해 주면 고맙겠습니다만."

이 근방을 수소문해 봐도 좋습니다. 이즈모야에 사타로 씨가 온 적은 없습니다.

"이런, 낭패로군……."

곤페이는 어제 후카가와에 있는 세이지의 가게 위치를 알았다. 오코가 후카가와에 살고 있다는 소문을 들은 터라 오늘은 사타로와 도망쳤다는 오코의 거처를 알아낼 수 있지 않을까 기대하며 찾아온 듯했다.

"실마리가 끊기고 말았네……."

"곤페이 씨는 왜 사타로 씨를 찾는 겁니까?"

오코가 물었다. 곤페이는 천장을 올려다보며 잠시 침묵하다가…… 오코가 계속 쳐다보자 입을 열었다.

"……우리 아가씨가 아직 그 일을 떨쳐내지 못하고 있어섭니다."

곤페이는 오카노의 부친 스미요시야 밑에서 지배인으로 일하고 있다고 자기소개를 했다.

"오카노 씨네 가게 말이군요!"

향로 스오를 선물한 아가씨. 사타로의 전 약혼녀 말이다. 오코는 놀라는 얼굴이 되었다.

"아가씨는 그 혼담이 무산된 탓인지 아직 결혼을 하지 않았습니다."

부모가 새로운 혼담을 가져와도 응하지 않았다. 뿐만 아니라 점점 말수가 줄고 신부 수업으로 듣던 각종 강습에도 나가지 않게 되었다고 한다. 요즘은 아사카와야…… 그러니까 오카노의 당숙이 조카딸의 모습에 속을 끓이고 있다는 것이다.

"아사카와야 씨는 오카노 씨의 친척이었습니까?"

인물들의 관계도가 세이지의 머릿속에서 그려졌다. 아사카와야는 쓰루야에 갔다가 스오를 찾는 세이지를 만나자 흥미를 느끼고, 세이지라면 사타로를 찾을 수 있을지도 모른다고 기대했던 것이다. 그래서 친절하게 도와주었으리라.

"세이지 씨가 사타로 씨의 배호인 스오를 알고 있었을 때 아마 인연이 닿는 분일 거라고 생각하기는 했지만."

설마 오코의 가족일 줄은 몰랐다고 곤페이는 말했다. 쓰루야는 이즈모야 오누이에 대하여 언급을 자제해 준 듯했다.

마침내 곤페이가 힘없이 웃었다.

"오코 씨만 찾으면 사타로 씨와 함께 살지 않더라도 소식 정도는 알 수 있을 줄 알았습니다."

그 오코가 사타로를 꾸준히 찾고 있었다니 뜻밖이었다. 설마 이런 이야기가 될 줄은 곤페이도 생각지 못했던 것이다.

"오카노 아가씨는 향로를 선물한 탓에 사타로 씨가 가출해 버린 거라고 크게 낙담했습니다. 사타로 씨가 나타나 확실하게 해명해 주면 아가씨도 마음을 추스를 거라고 생각했는데."

그렇게 말하는 곤페이의 얼굴을 세이지가 곁눈으로 힐끔 보았다.

'곤페이 씨는 아사카와야의 친척이라고 했지. 이런 진지한 모습을 보니 혹시······.'

혼담이 무산된 오카노와 친척뻘인 이 남자 사이에 혼담이라도 있었던 것일까? 곤페이의 마음이 오카노에게 향하는 것처럼 느껴졌다. 그래서 온 힘을 다해 사타로를 찾고 있는 것이다.

하지만 오카노는 혼담에 일체 관심이 없다고 한다.

'곤페이 씨도 예전 일을 결판 짓고 싶어 하는 사람이겠군.'

여러 사람이 연결된 실이 엉클어져 도무지 풀리지 않는다.

'누가 누구랑 연결되는지는 알 수 없지만, 여하튼 사타로 씨만 찾으면 여러 가닥의 인연을 정리할 수 있을 텐데.'

그것을 위해 지금 모두들 사타로를 찾고 있는 것이다. 세이지는 한숨을 지었다.

"참 피곤한 얘기로군요. 가끔 사타로 씨를 두어 대 쥐어 패고 싶어져요."

저도 모르게 본심을 흘리자 곤페이가 쓴웃음을 지었다. 오코가 묘한 표정으로 세이지를 쳐다보았다.

"이제 서로 사정을 알게 되어 일단 마음이 놓이지만······ 곤페이 씨, 이즈모야에는 더 이상 사타로 씨와 관련된 이야기가 없습니다."

세이지는 고개를 젓고 나서 바닥에 나뒹구는 물품들 중에 부상신부터 주워 모으기 시작했다. 아무튼 내일 영업을 하려면 깨끗하게 정돈해야만 한다.

그 말을 듣고도 곤페이는 돌아가지 않고 정리 작업을 도와주었다. 그러자 오코의 얼굴이 빨개졌다.

"이건 세이지가 어지럽혀 놓았으니 장본인이 정리하는 게 맞습니다만."

이렇게 말하며 오코도 나서서 열심히 물품을 선반에 돌려놓았다. 그러다가 나무 상자 뚜껑 밑에서 세이지의 잔을 발견했다. 보기 좋게 깨져 있었다.

"어머, 깜빡했네. 그릇 수리공을 불렀어야 하는데."

세이지가 낯을 찡그리고 파편을 주워들었다. 그러더니 고개를 갸우뚱하고 다시 한 번 깨진 잔을 찬찬히 살펴보았다.

"아무리 값이 비싸도 도자기는 도자기지. 떨어지면 깨질 수밖에 없어."

스오라도 마찬가지다.

"무슨 말이죠? 사실은 누군가 스오를 깨뜨렸다는 건가요?"

곤페이가 고개를 저었다. 스오를 담았던 나무 상자에는 파편 하나 남아 있지 않았다. 게다가 만에 하나 순간의 실수로 깨뜨리고 말았다면 솔직하게 사과하는 게 가장 쉬운 길이다.

세이지는 곤페이의 말이 들리지 않는 얼굴이었다. 깨져 버린 잔을 지그시 노려보고 있다.

그러다가 불쑥 곤페이를 보며 내일은 아침 일찍 어디에 같이 가 달라고 부탁했다.

"아아, 있네요!"

어둑한 창고 2층에서 목소리가 울렸다.

이튿날 세이지가 곤페이와 함께 간 곳은 오카노의 부친 스미요시야가 하는 가게였다. 물론 세이지 혼자서는 창고에 마음대로 들어갈 수 없다. 그래서 곤페이와 동행한 것이다.

스오를 찾을 수 있을지도 모른다고 하자 스미요시야는 몹시 놀란 얼굴을 했다. 하지만 스미요시야 역시 딸의 우울함을 어떻게든 풀어 주기 위해 할 수 있는 데까지 해 보고 싶었으리라. 덕분에 세이지는 스미요시야 창고에 들어갈 수 있었다.

"지금 내려갑니다."

세이지는 비단 보따리를 들고 창고의 급한 계단을 내려와 1층으로 돌아왔다. 곤페이와 스미요시야, 그리고 아사카와야가 잡다한 물품들 사이에서 기다리고 있었다.

세이지가 커다란 나무 상자 위에 파란 비단보따리를 내려놓고 세 사람이 지켜보는 앞에서 매듭을 풀었다. 활짝 펼쳐진 비단보 한가운데서 붉은색 풀꽃이 그려진 향로가 나왔다. 곤페이가 소리를 높였다.

"스오다! 깨진 게 아니었구나."

"내다판 것도 아니었군."

스미요시야도 놀라움을 감추지 못했다. 향로 스오는 스미요시야에 돌아와 있었다.

"어떻게 된 일인지 이즈모야 씨가 설명해 줄 수 있겠소?"

아사카와야가 청하자 세이지는 짐작하는 바가 있다며 말했다.

"하지만 증거가 있는 것은 아닙니다. 세 분이 이 창고에서만 들은 이야기로 알고 비밀로 해 주신다면 지금부터 말씀드릴 수 있습니다만."

다들 고개를 끄덕이자 세이지는 어둑한 창고 안에서 일련의 추리를 들려주었다.

"모든 일의 시작은 오카노 씨에게 맞선 이야기가 들어왔을 때가 아닐까요? 아니면 사타로 씨에게 향로를 선물했을 때인지도 모릅니다."

향로 스오는 훌륭한 물건이고 더구나 사타로의 배호와 이름이 같았다. 오카노는 운명 같은 것마저 느끼고 연모하는 남자에게 그 향로를 선물했는지 모른다.

그러나 사타로는 오카노가 기대한 만큼 향로를 반겨 주지 않았다. 그러니까 스오 하나만으로는 혼담이 진전되지 않았던 것이다.

"사타로 씨 마음이 향로에게도 자기에게도 기울지 않았다는 것을 오카노 씨는 알았습니다. 그래서 이이다야의 사타로 씨를 찾아가 혼자 방에 있을 때 향로를 꺼내들고 이 창고에 가져다 둔 것으로 보입니다."

그때는 주머니 같은 것을 준비해 가서 향로를 담아왔을 것이다. 스오를 담았던 나무 상자에는 다른 물품을 넣어 두어 금방 발각되지 않았던 것이다.

"싸구려 물건을 대신 넣어 두었겠지요."

조만간 도자기가 뒤바뀐 것을 알고 소동이 벌어지면 오카노는 사타로에게 뭐라고 말할 생각이었을까? 그것은 알 수 없다. 오카노는 선물한 것을 되찾아 왔을 뿐이라고 자신을 달래고 싶었는지 모른다. 그러나 정작 사타로는 그 후에도 나무 상자를 열어 보지 않았다.

"오카노 씨는 다분히 오기가 생기지 않았을까요. 무시당하고 싶지 않았겠죠. 그래서 무리를 해서라도 사타로 씨 집에 자주 드나들며 때를 노렸을 겁니다."

소동을 일으키기 위해 대용품을 깨뜨릴 기회를 노렸던 것이다. 깨뜨리면 도자기 파편 정도는 오비 속에 감출 수 있다. 따로 주머니를 준비하지 않은 여름옷이라도 그 정도는 감출 수 있다.

"아마 사타로씨 방에 들어가자 얼른 싸구려 도자기를 깨뜨리고 노파하녀가 그 파편들을 방에서 가지고 나갔겠지요. 노파를 눈여겨보는 사람은 없을 테니까 멀리 떨어진 쓰레기통에 버리든 수로에 던져 버리든 파편을 처분할 수 있었을 겁니다."

사타로는 향로가 사라졌다는 것을 뒤늦게 알아챘고 소동이 벌어졌다. 게다가 생각지도 못한 일이지만 향로를 지참금의 일부로 치자는 이야기가 나왔다.

"오카노 씨는 마침내 좋아하는 남자와 결혼할 수 있게 되었다고 생각했을지 모릅니다. 그런데."

그 이후는 모두가 아는 이야기로 이어진다. 사타로는 혼담에서도 부모의 가게에서도 깨끗이 떠나 버렸다.

물론 오코 곁에서도.

그것이 세이지가 생각해 낸 향로에 얽힌 이야기였다. 곤페이가 미간에 주름을 모았다.

"미련이 남았다. 그래서 아가씨는 여전히 사타로 씨를 생각하고 있는 걸까요?"

"오카노 씨는 아마…… 사타로 씨에게 미안하다고 생각하지 않을까요?"

"미안하다?"

스미요시야와 아사카와야가 얼굴을 마주 보았다.

"당물점 장남을 가출하게 만들고 말았다. 사타로 씨를 안락한 생활에서 멀어지게 만들었다고."

만약 그렇게 번민했다면 향로 건에 대하여 부모에게 사실대로 밝히기가 더욱 두려웠을 것이다. 오기를 부리다 한 남자의 인생을 꺾어 버리고 말았다.

"오카노 씨가 선한 분이라 더욱 낙담이 컸겠지요."

세이지가 이야기를 매듭지었다.

아무도 그의 이야기를 부정하지 않았다. 세이지는 아름다운 향로로 힐끔 눈길을 주고 조용히 말했다.

"이렇게 되기를 바란 것은 아니었는데, 하며 후회하는 일은 종종 있지요."

혼자 고민하자니 점점 억장이 무너진다. 전말을 알게 되었다고 하며 여하튼 이이다야 씨와 향로에 대하여 제대로 이야기하면 될 거라고 세이지는 말했다. 그러면 오카노의 마음도 편해질 것이다.

"그 뒤에는 곤페이 씨가 아가씨의 상담역이 되어 드리면 될 것 같습니다만."

그렇게 말하자 곤페이의 표정이 밝아졌다. 창고 안으로 햇빛이 비쳐 들었나 싶게 환해졌다.

'흠, 이번 일은 그럭저럭 해결되려나.'

마음은 조금 놓이지만…… 사실 세이지가 밝게 만들고 싶은 것은 오코의 얼굴이다. 아름다운 향로로 가만히 눈길을 주었다. 떠오르는 것은 한 사람의 얼굴뿐이었다.

니세무라사키

니세무라사키 :
에도 시대에 지치 뿌리로 염색한 보라색, 즉 무라사키는 서민들에게 금지되어 있었다.
이에 서민층은 지치 대신 스오나 쪽을 섞어 보라색으로 염색한 천을 만들어 쓰며 이 색을 '가
짜 보라색', 즉 '니세무라사키'라고 했다.
니세무라사키는 보라색보다 탁한 잿빛 기운을 띤다.

1

안녕하세요. 처음 뵙습니다. 제 이름은 오쿤黃君입니다.

여러분과 마찬가지로 백 년 세월을 묵으면 깃든다는 요괴, 흔히 말하는 부상신 가운데 하나죠.

보시다시피 값비싼 호박으로 만든 오비토메입니다. 투명하게 비치는 아름다운 노란색 덕분에 오쿤이라는 이름을 얻었습니다.

이렇게 팔려와 같은 선반에 진열된 것도 인연이라면 인연. 부상신으로는 선배이신 담뱃대 고이 님, 아씨 인형 오히메 님, 박쥐 모양 네쓰케 노테쓰 님, 머리빗 우사기 님, 족자 쓰쿠요미 님. 그리고 그 밖의 여러 분, 앞으로 잘 부탁드립니다.

그런데 이즈모야는 중고품점이지요? 중고품점이라면 전에도 한번 지냈던 적이 있는데, 그 가게하고는 어딘지 다른…… 오오, 이 가게는 대여점도 겸한다고요?……그런데 대여점은 또 뭐죠?

그래요? 대여점은 가게에 비치한 물품들, 가령 냄비, 솥, 옷, 심지어 훈도시까지 약간의 요금을 받고 대여하는 장사라고요. 물정에 어두워 죄송합니다. 조금 어설픈 신참이긴 합니다만, 너그러이 봐주시기를.

저는 지금까지 니혼바시 쪽에서 지냈는데, 이곳 후카가와라는 곳도 꽤 번화한 지역이군요. 정말 기쁩니다. 저를 구입한 부인들은 저를 귀하게 써 주기는 했지만…… 다들 오비토메를 여러 개 가지고 있어서 자주 쓰이지는 못하고 오랫동안 옷장에 들어가 있었습니다. 얼마나 지루하던지.

장사꾼들의 호객소리도 들리는 가게에 앉아 동료들과 얘기할 수 있다니 얼마나 좋은지 모릅니다. 가게 주인이 외출할 때까지 입을 꾹 다물고 있기가 괴로웠을 정도입니다.

네? 입 다물고 있을 필요는 없다고요? 하지만 함부로 떠들면 인간이 듣고 말 텐데요? 저를 사들인 젊은 주인이 바로 저기서 게다를 신고 있었지 않습니까.

……그렇습니까? 이 가게를 꾸리는 오누이는 우리 부상신들을 잘

알고 있다고요? 다른 사람들에게 말하지도 않고 우리를 없애려고 액막이 부적을 들이대지도 않는다고요.

오오, 그렇군요.

이 가게는 우리들이 대여되어 돈을 벌어다 주는 덕분에 유지되고 있으니 당연하다는 말씀이군요. 이야, 여기 부상신 분들은 모두 견실한 분들이란 걸 알겠어요. 본받고 싶습니다.

어, 가게 안쪽에 인기척이 있군요. 저 사람이 아까 말씀하신 누나라는 사람이라고요. 오, 제법 어여쁜데다 상냥하고 우아한 분위기를 풍기는 처자네요. 사내들한테 편지 꽤나 받겠어요.

네? 생긴 건 저래도 기가 드세다고요. 하하하, 그렇습니까. 이름이 오코라고요?

오코?……어허, 놀랐네. 어허, 이런, 이런.

그게 말이죠, 저 오코 씨는 제가 아는 사람 같아서요.

저분은 전에 니혼바시에 살지 않았나요? 제가 한때 고다마야라는 중고품점에 있었습니다. 그 가게에서 일하던 아가씨도 이름이 오코였어요. 아주 닮았군요.

아아, 역시 니혼바시에서 자란 사람입니까! 그럼 틀림없군요. 옛날 생각 나네요. 저는 이렇듯 곱게 생긴 덕분에 금방 팔려서 가게를 떠났지만, 니혼바시의 고다마야가 화재로 불타 버렸다는 소식은 들었습니다. 그래서 걱정하고 있었거든요.

네? 그럼 화재 직전까지 오코 씨 곁에 있었느냐고요? 그렇습니다.

그럼 사타로…… 이이다야 사타로라는 남자를 아느냐고요? 어디 보자, 사타로, 사타로…….

아, 니혼바시 당물점의 장남 말입니까? 고다마야에 뻔질나게 드나들던 재미 있는 청년 말이군요. 고다마야에 자주 오던 오코 씨의 친척 청년을 놀려먹곤 했지요. 그 청년 이름이 아마 세이지라고 했던가.

네? 세이지 씨가 아까 보았던 이즈모야의 젊은 주인이라고요? 저를 구입한 그 사람 말입니까? 이야, 훌쩍 어른이 돼서 몰라봤네요. 세상에나, 그랬단 말입니까.

아까 보니까 오코 씨를 누나라고 부르던데, 두 분이 진짜 오누이 사이는 아니죠. 그때 그 두 사람이 맞다면 말입니다.

그렇게 고생을 많이 하더니 이렇게 자리를 잡았군요. 다행입니다.

네? 뭐가 못마땅하신 거죠?

아아, 저 혼자만 알고 고개를 끄덕이는 게 마음에 안 드시는군요.

그건 마치 색깔이 어울리지 않는 허리끈과 짝이 된 것처럼 기분 상하는 일이지요. 그럼 제가 아는 이야기를 해 드리지요……. 그런데 뭘 이야기하면 될까요?

이런저런 소문들, 사타로 씨에 대한 것까지 전부요? 두 사람이 친해진 계기도…….

좋습니다. 그럼 제가 사타로 씨를 처음 보았을 때부터 가게를 떠날 때까지 보았던 걸 다 말씀드리지요. 아마 여러분이 궁금해하는 내용도 그 안에 들어 있을 겁니다.

네, 당시 제가 추측했던 오코 씨의 심정까지 다 말씀드리고말고요.

그 전에 한 가지 당부해 두고 싶은 게 있으시다고요? 부상신 동료와 대화할 때는 따로 지켜야 할 규칙이 없지만 인간하고는…… 가령 이즈모야의 오누이와 함부로 말하면 안 된다, 그걸 명심하라는 말이군요? 알겠습니다. 이곳의 규칙으로 알고 있겠습니다.

그러면 제가 니혼바시에 있을 때 보았던 일을 말씀드리지요. 당시 오코 씨가 일하던 고다마야는 말이 니혼바시지 실은 비좁은 골목에 있는 작은 중고품점이었습니다.

이에 반해 당물점 이이다야는 커다란 상점으로, 대로변에 점포가 있었지요.

그래도 한창나이에 있는 남녀는 어찌된 일인지 서로 알아보게 마련입니다.

2

니혼바시의 번잡한 대로에서 한 번 꺾어져 들어가는 골목길에 행상이 "머리빗 비녀 간자시머리에 꽂는 전통 장식품 사려~" 하고 새된 소리를 지르며 지나간다. 그밖에 온갖 상점의 점원들, 재장수염색이나 주조, 비료에 쓰기 위한 재를 사 모으는 장수나 비장수, 헌우산장수수선해서 되팔기 위해 종이가 찢어진 우산을 사모으는 장수가 바삐 지나다니는 작은 가게 앞에 누군가 걸음을 멈추었다. 가게 안 계산대에서는 조리를 신은 발끝만 보인다.

남색 포렴이 바람에 흔들리자 중고품점 고다마야를 지키던 오코가 고개를 들었다. 가게 입구에 나타난 것은 단골손님이었다. 오코는 가만히 쓴웃음을 지었다.

"아, 사타로 씨. 오늘도 오셨네요."

당물점 이이다야의 장남은 어제도 그제도, 아니 지난 두 달간을 거의 매일 고다마야에 나타났다. 사타로는 가게로 들어오자마자 굳이 오코 가까이에 앉아 환하게 웃었다.

"오코 씨, 오늘은 이 빗을 가져왔어. 봐 봐. 멋진 공예품이지?"

아마 잘 어울릴 거야, 하며 사타로가 품에서 꺼낸 머리빗을 오코 손에 쥐여 주려고 했다. 하지만 오코는 웃는 표정을 지으면서도 분명하게 거절했다.

"사타로 씨, 그거 이이다야에서 파는 물건이죠? 함부로 들고 나오면 어떡해요."

요즘 사타로는 당물점에서 사입한 물품 가운데 머리빗이나 비녀 등 오코에게 어울린다 싶은 물건이 있으면 멋대로 들고 나왔다. 손버릇 나쁘다고 소반산 부모님이 감옥방_{집 안에 있는 감금용 방}에 가두실지도 몰라요, 하고 겁을 주어도 그냥 웃어넘길 뿐이었다.

"오늘도 오코 씨가 이렇게 아리따우니까 나도 모르게 선물을 하고 싶어지잖아."

하고 농담을 한다. 오코도 그런 말이 싫지만은 않았다. 사타로는 남자에게 엄격하고 여자에게 무르며, 자신에 대한 흉도 농담거리로 삼아 버리는 소탈하고 익살스런 남자였다.

체구도 훤칠하고 큰 상점을 상속받을 청년이다. 옷은 훌륭한 맞춤 복만 빼입고 자잘한 장신구에도 신경을 쓰는 잘생긴 남자였다. 근방의 처자들이 사타로에게 종종 추파를 던졌다.

그런 사타로가 어찌된 일인지 오코네 가게에 뻔질나게 드나들었다. 소문은 금방 퍼졌다. 이것이 오코의 여심을 살짝 흔들고 있는 것이다.

그때 가게 밖에서 목소리가 들렸다.

"당물점 어른들이 진짜로 사타로 씨를 어디다 가둬 버렸으면 좋겠네. 그러면 누나도 귀찮지 않을 텐데."

그렇게 말하며 가게로 들어온 사람은 고다마야의 친척인 세이지였다. 후카가와의 가게에서 일하는 그는 종종 니혼바시로 심부름을 온다. 오코보다 한 살 어린 열일곱 살이니 처녀라면 혼담이 들어와도 이상할 게 없는 나이였다. 하지만 세이지는 아직 앞머리를 민 지^{남자는 15세 성인식 때 앞머리를 자르고 상투를 튼다} 두 해도 지나지 않았다.

사타로는 세이지를 아예 꼬마 취급 했으므로 그런 말을 들어도 정색하고 화를 내거나 하진 않았다. 대신 세이지에게 늘 자기가 더 어른이라는 점을 주지시키려고 들었다.

오늘도 가볍게 저주를 하는 세이지를 재빨리 붙들어 목을 팔뚝으로 조이고 주먹으로 머리를 쥐어박으며 웃었다.

"이야, 이젠 제법 주둥이를 놀릴 줄도 아네, 세이지. 이렇게 십 년쯤 자라면 어른이 되겠는걸."

"십 년! 장난하나."

꼬마라고 부르는 소리를 제일 싫어한다는 것을 알고 사타로는 일부러 늘 나이를 도마에 올린다. 오코 앞에서 그런 말을 들으면 세이지도 발끈했다.

"두 사람 다 가게에서 장난치지 말아요."

오코가 어이없다는 듯이 말하자 세이지는 더욱 뿔난 얼굴이 되었다.

하지만 오늘은 두 사람의 아웅다웅도 오래 이어지지 않았다. 가게에 새 손님이 들어왔기 때문이다. 넓지도 않은 중고품점에서 방금 들어온 손님과 마주한 사타로가 이내 얼굴을 우그러뜨렸다.

"어머니……."

마흔이 넘어서도 여전히 아름다운 이이다야 도메는 큰 상점을 물려받은 딸이었다. 규모가 큰 이이다야를 실질적으로 지키고 있는 사람은 데릴사위로 들어온 당주가 아니라 도메라는 말이 나돈 지 오래였다. 입술을 일그러뜨린 사타로에게 다가선 도메가 대뜸 손바닥으로 아들의 머리를 후려쳤다.

"어머니, 왜……."

"앞으로 이 가게엔 얼씬도 말라고 했지. 사타로, 너는 스미요시야의 오카노와 혼담이 진행중이야."

이렇게 중요할 때 애먼 처녀한테 선물을 하면 어쩌자는 거야, 하고 도메가 날카로운 표정으로 꾸짖었다. 그러자 사타로는 가게 마루턱에 앉아 긴 한숨을 지었다.

"그러니까 제가 부탁드렸잖아요. 그 혼담은 거절해 달라고."

"나는 마음에 든다."

"어머니는 그 아가씨가 마음에 드는 게 아니잖아요. 지참금과 스미요시야라는 연줄이 탐나는 것뿐이지."

"그 말이 그 말이지."

도메는 태연하게 말했다. 혼담의 상대는 이이다야에 맞먹는 큰 상점의 딸이다. 상황이 어려워졌을 때 돈과 인맥을 기대할 수 있는 훌륭한 인척을 제공할 배필인 것이다.

"사타로, 장사에 방심은 금물이다. 너는 부모 돈을 잘도 쓰지만 그 돈이 언제까지 척척 나올 거라고 장담할 수 있겠니. 아무리 큰 가게라도 언제 어떻게 될지 몰라. 가령 화재로 집도 창고도 다 잃어버릴지 모르고."

그럴 때를 대비할 필요가 있다는 말이다.

사타로는 기분파여서, 열심히 일한다 싶으면 가게 물품을 슬쩍 들고 나가곤 해서 과연 이이다야를 감당할 만한 아들인지 도메는 마음이 놓이지 않았다. 그 한심한 장남의 신붓감이 가게의 장래를 보장해 준다면 망설일 까닭이 없다며 대놓고 선언하는 어머니에게 사타로가 빙글빙글 웃었다.

"역시 어머니답네. 무섭네요."

그러나, 그렇게 훌륭한 어머니라면 사람을 보는 아들의 안목도 칭찬해 주었으면 좋겠다고 말한다.

"보세요, 여기 오코 씨는 보시는 대로 인물이 좋잖아요. 게다가 계산도 잘하고 글도 능숙하고 사람 마음을 끄는 인품까지 있고."

요컨대 쉽게 만나기 힘든 아가씨이며 오코 자체가 만금의 가치가 있다고 사타로는 말했다.

"상대가 아무리 갑부라도 가령 우리와 같은 날 화재에 당한다면 의지할 수도 없잖아요? 그런데도 집안을 보고 신부를 택하다니, 어리석은 일이죠."

"얘야, 나는 사람을 보는 네 안목보다 황금이 더 확실하다고 생각한다."

고다마야에서 아웅다웅하기 시작한 모자를 앞에 두고 오코와 세이지가 눈을 휘둥그레 뜨고 있다. 말을 뱉으면 물러설 줄 모르는 것까지 똑같아서, 곁에서 보니 정말 닮은 모자였다.

"왠지…… 박력이 느껴지는 두 사람이네."

조금 매혹된 것처럼 시선을 사로잡힌 세이지와 오코 옆에서 두 사람의 언쟁은 계속되었다. 어느 쪽도 먼저 굽히려 하지 않으니 좀처럼 수습되지 않는다.

그리고…… 잠시 후 마침내 지쳤는지 도메가 입술을 일그러뜨리고 입을 다물었다. 체념한 표정으로 내놓은 말은 생각지도 못한 것이었다.

"아아, 이래서는 결판이 안 나겠다……. 그래, 사타로. 아까 네가 사람 보는 안목이 있다고 했지?"

"물론이죠."

"그래…… 그럼 아들의 능력을 시험해 봐야겠구나."

가게 안주인으로서 집안을 물려줄 장남의 실력을 파악하는 것은 중요한 일이다. 만약 사타로가 호언한 만큼 오코가 뛰어난 아가씨라면 사타로의 안목을 믿고 스미요시야 딸과의 혼담은 없었던 일로 쳐도 좋다. 장차 오코를 며느리로 맞이하는 것도 생각해 볼 수 있는 일이라고 말했다.

"정말이죠!"

"잠깐만. 어느 새 혼담 얘기가 되었지?"

중고품점 안에서 사타로, 오코, 세이지의 얼굴이 모두 빨개졌다. 세 사람을 앞에 둔 도메는 사타로가 가져온 머리빗을 가리켰다.

"봐요, 훌륭하게 세공된 빗입니다. 머리빗치고는 값비싼 물건이긴 해도 이것 하나로 장사 밑천을 삼을 만큼 비싸지는 않지요."

하지만 머리빗이라면 화재나 지진 때라도 몸에 지니고 대피할 수 있다. 재난을 당해도 여자가 몸에 지니고 있을 수 있는, 최후의 재산이 되는 물건인 셈이다.

그런데 만약 그런 심각한 사태가 벌어지면 이 머리빗 하나로부터 정말로 큰 가게를 재건할 밑천을 만들 수 있겠는가.

"나는 이 물음으로 오코 씨의 재치와 역량을 재고 싶어요."

"네? 이 머리빗 하나로 목돈을 만들라고요?"

"그런 능력이 있는 아가씨라면 친정의 재력 같은 것은 필요 없으니까 환영하고말고."

그러더니 고다마야의 소박한 내부를 빙 둘러보고 웃었다.

"고다마야는 중고품점이지만 이런 가게에서 마음대로 비싼 값을 매겨서 머리빗을 팔기는 힘들겠지요. 그러니까 오코 씨의 진짜 능력을 알 수 있겠군요."

못하겠다면 사타로는 만나지 말아 달라고 오코에게 말했다. 이런 말까지 듣느니, 그런 내기도 필요 없이 더 이상 만나지 않겠다고 저도 모르게 말하려다가…… 오코는 말을 삼켰다. 사타로가 애원하는 눈빛으로 오코를 쳐다보고 있지 않은가.

'그러고 보니 지금 오가는 혼담이 내키지 않는다고 했었지.'

내기를 거절하면 혼담이 결정되어 버릴 것만 같아 사타로가 딱하다는 생각도 들었다.

하지만 잠깐 망설인 것이 문제였다.

"그럼 너무 오래 기다리게 하지 말아요. 내기를 했다는 사실까지 잊어버릴 수 있으니까."

내기가 결판날 때까지 사타로에게 돈도 물품도 마음대로 갖다 쓰지 못하게 하겠다는 말을 남기고 도메는 얼른 고다마야를 나가 버렸다. 사타로도 귀를 잡혀 끌려 나갔다. 세이지는 무서운 얼굴로 모자의 뒷모습을 바라보고 있었다.

어느 새 오코는 머리빗으로 목돈을 만들어야 하게 되어 버렸다.

3

고다마야 규베에는 사타로의 경박함을 특별히 싫어하지는 않았다. 하지만 저녁때 귀가하여 세이지에게 낮에 있었던 소동과 내기의 전말을 전해 듣고는 평소와 달리 벌레 씹은 표정이 되었다.

"철없는 것."

머리빗을 가지고 딸이 무슨 엉뚱한 짓을 벌일지 걱정하는 듯했다. 곁에 있던 세이지에게 딸이 걱정되니 잠시 고다마야에 자주 드나들며 살펴봐 달라고 부탁하고 딸을 불렀다.

"얘야, 이이다야는 물론 부잣집이다. 우리하고는 격이 다른 큰 상점인데다 그 도메라는 여자가 안주인으로 가게를 꾸리고 있다. 네가 무리하게 시집을 가더라도 고생길이 훤하다. 혼인은 분수가 맞는 짝과 해야 한다."

"아버지, 저는 사타로 씨와 결혼하고 싶다는 말은 한 번도 한 적이 없는걸요."

"그래? 그럼 왜 그런 내기를 받아들인 거냐? 게다가 근방의 작은 가겟집 아들들은 손도 못 댈 물건을 사타로에게 받지 않았냐. 그러니 어떻게 다른 사내들이 엄두를 내겠냐."

분에 넘치는 꿈을 꾸다가는 시집가기도 어렵게 될 거라고 담뱃대를 뻑뻑 빨며 말했다. 잘못하다가는 연하인 세이지에게 애걸복걸해서 시집가게 될 거라고 겁을 주었다.

"세이지가 장가를 가려면 한참 멀었어요. 그때까지 처녀로 있다가
는 아줌마가 되고 말게요?"

오코가 웃으며 걱정 말라고 아버지를 달랬다. 식구라고는 달랑 아버
지뿐이다. 아버지의 딸 걱정이 어떠하리라는 것은 너무나 잘 안다. 그
러나.

"그렇게까지 걱정스런 얘기일까."

오코에게 이번 일은 가만히 있다가 당한 시비 같은 것이었다. 기왕
거기에 반격하고 나섰으니 도메라는 여자한테는 지고 싶지 않았다.

'혼담을 난처해하는 사타로 씨를 위해서라도 이번 내기에 물러설 수
는 없어.'

그러나 아버지가 저렇게 나오니 아버지에게 의지할 수도 없다. 남은
아군이라면 사타로 같은 놈은 강물에 밀어 버리고 싶다고 종종 말하는
세이지 하나뿐이었다. 입으로는 뭐라고 하든 세이지는 오코의 부탁을
거절한 적이 없었다. 이번에도 투덜거리면서 도와줄 것이다.

'그런데, 어떻게 하지?'

오코는 이튿날부터 세이지와 함께 가게를 지키며 값이 비싸다는 머
리빗만 들여다보고 있었다. 규베에는 세이지가 대타로 오면 때는 이때
라는 듯 외출하여 그동안 쌓인 바깥일을 보았다.

손님이 많지 않아 생각할 틈이 많은 것은 다행이지만 이렇게 수입이
시원치 않으니 아버지에게 돈을 빌릴 수도 없다. 역시 머리빗 하나를
어떻게든 목돈으로 둔갑시키지 않으면 안 될 것 같았다.

"얘, 세이지. 이 물건을 이즈모야에 판다면 얼마나 받을 수 있을까?"

고다마야는 중고품점이지만 가격 산정은 아버지가 하는 일이라 오코로서는 가늠이 되지 않았다. 하지만 세이지는 후카가와의 중고품점 겸 대여점 이즈모야에서 숙부에게 일을 배우고 있다. 세이지가 있으면 중고품을 팔러 오는 손님이 있어도 안심하고 맡길 수 있다고 아버지 규베에가 말할 정도다.

계산대에 있는 오코에게 나전공예품 머리빗을 건네받은 세이지는 진지한 눈초리로 말했다.

"구입하자면 열 냥은 줘야 할 물건이야. 하지만 팔자면 많이 받아야 그 절반이나 받을 수 있을까."

"화재로 사라진 커다란 가게를 다섯 냥으로 재건한다는 건 턱도 없는 소리겠지."

"……나는, 사타로 씨랑 누나가 부부가 되는 일에 협조할 마음이 없는데."

세이지는 몹시 못마땅한 듯이 말했다. 오코가 쓴웃음을 지었다.

"사타로 씨는 신부가 되어 달라고 직접 말한 적이 한 번도 없는걸."

사타로는 여자들에게 친절하다. 무르다. 알뜰하게 챙겨 준다. 조금 능글맞아 보이기도 한다. 여자 다루는 데 능숙해서 그럴 것이다. 오코에게 정말로 **빠졌다면** 사타로의 열정은 금세 식을지도 모른다.

'하지만 이렇게 말하는 나는…… 사타로 씨를 솔직히 어떻게 생각하지?'

오코는 이번 소동을 계기로 비로소 자기 마음을 들여다보고 있었다. 오코를 대하는 사타로의 행동이나 오코의 대응은 지금껏 가볍기 그지 없었다. 이를 애써 추궁하여 대답을 내놓게 하려는 것은 도메, 그리고 사타로의 혼담이었다.

오코가 세이지를 곁눈으로 슬쩍 보았다. 하지만 세이지가 입을 열기 전에 가게 앞에서 조금 새된 목소리가 들렸다.

"이곳이 고다마야 맞나요? 오코 씨라는 분 계신가요?"

얌전한 말이긴 했지만 말투가 묘하게 냉랭하다. 남색 포렴을 헤치고 들어선 사람은 척 봐도 부유해 보이는 처녀였다. 연분홍 국화꽃을 흩뿌린 무늬에 소매가 길게 늘어진 기모노, 장식이 달랑달랑 흔들리는 비녀, 수레바퀴문양이 들어간 오비를 낙낙하게 늘어지도록 둘렀다. 게다가 뒤에 하녀까지 대동하고 있다.

"제가 맞습니다만, 누구신지요?"

가게 마루턱에 오코가 무릎을 꿇는 순간 아가씨는 오코를 내려다보며 내뱉었다.

"사타로 씨의 부인이 될 사람은 나거든요!"

그 한 마디에 상대가 누구인지 알았다. 사타로와 맞선을 보았다는 스미요시야의 오카노가 틀림없다. 그런데 지금 무슨 말을 들은 거지? 하며 오코는 한순간 말을 더듬었다. 그런 모습을 어떻게 받아들였는지 오카노가 다그치듯이 내처 말했다.

"그쪽은 분수에 맞게 처신하라는 말도 못 들어봤어요? 하긴 이런 콩

알만 한 가게에서 일하는 아가씨라면 사타로 씨의 신부가 되는 건 벼락출세하는 거겠죠. 그 기회를 간절히 노리고는 있겠지만."

오카노는 초장부터 몹시 흥분한 모습이었다. 오코의 대답도 기다리지 않고 자신이 얼마나 사타로에게 걸맞은 여자인지를 장황하게 늘어놓기 시작했다.

"사타로 씨는 큰 상점의 후계자이고 훌륭한 분이시잖아요. 나 같은 큰 가겟집 딸이 아니라면 격이 맞지 않아요."

"나라면 그 멋진 서방님을 행복하게 해드릴 수 있어요."

"인물을 봐도 내가 훨씬 낫잖아요. 매력적인 여자가 아니면 그분의 아내로서, 이이다야의 안주인으로서 부끄럽지 않겠어요?"

오카노의 마음속에서 사타로는 최고의 가부키 배우처럼 지극히 잘생긴 젊은이로 화해 있는 듯했다. 게다가 인품도 뛰어나다는 것이다.

'놀랍네. 오카노 씨는 아무래도 사타로 씨에게 푹 빠져 버린 것 같구나.'

오코는 그저 눈만 크게 뜨고 있었다.

"……물론 사타로 씨의 외모는 나쁘지 않지만."

행실이나 성격이라면 장담할 수 없지, 하고 세이지가 오코 뒤에서 작은 소리로 말했다.

그러나 오코 아버지에 따르면 큰 상가의 며느리가 되었을 때 일상적으로 문제가 되는 것은 남편이 아니다. 며느리는 가게에 나가 일하는 남편보다 안채에서 시부모와 얼굴을 마주하고 있는 시간이 더 많다.

만약 이이다야의 며느리가 된다면 오카노는 남편보다 시부모에게 더 신경을 써야 한다.

저 도메에게 말이다.

'오카노 씨는 그런 각오가 되어 있을까······.'

금지옥엽으로 자랐을 오카노는 세상물정을 너무 모르는 듯하다. 상냥한 아가씨처럼 보이기는 하지만 만약 이대로 이이다야에 시집가면 나중에 사달이 날 것 같다는 생각이 들었다.

'이러니······ 사타로 씨가 혼담을 주저할 수밖에 없겠구나.'

"얼핏 멀쩡해 보이지만 세간의 상식을 살짝 벗어난 듯한 구석이 있다는 점에서 오코 씨는 사타로 씨랑 닮았어."

잘하면 꼭 닮은 내외가 될 수도 있겠네, 하고 세이지가 작은 소리로 궁시렁거렸다. 오코가 그 소리를 듣고 아래를 내려다보며 가만히 웃었다.

그러자 장황하게 늘어놓던 오카노의 목소리가 뚝 그쳤다. 고개를 들어 보니 오카노가 화난 얼굴로 오코를 노려보고 있었다.

"어머 지금 웃었어요? 제법 여유만만하시네요. 이이다야 안주인님과 약속한 내기에 이길 자신이 있다는 거죠?"

머리빗 이야기를 들은 모양이다. 오카노가 더욱 새된 목소리로 말했다. 요컨대 그 일이 마음이 들지 않아 오늘 고다마야에 온 것 같았다.

하지만 상대가 아무리 노려봐도 오코는 태연했다. 너무 차분한 자신에게 스스로 조금 질리고 놀라기도 했다.

'사타로 씨의 혼담 상대가 찾아와도 나는 아무렇지 않은 건가…….'

자기도 스스로의 마음을 파악할 수 없어 당혹스럽다. 오코의 그런 모습을 보며 오카노가 문득 웃기 시작했다. 제법 자신만만해 보인다.

오카노는 곁에 있던 하녀를 불러서 준비해 온 작은 보따리를 풀었다. 거기서 꺼낸 것은 작은 나무 상자였다. 그 안에서 향로가 얼굴을 내밀었다.

"멋지죠? 요즘 사타로 씨는 도자기에 빠져 있어요."

"아, 그러고 보니 고다마야에 처음 오신 이유도 향로를 찾기 위해서였어요."

"이 향로는 이 가게에서 팔 만한 물건이 아녜요. 굉장히 비싼 물건이니까."

교토의 명장 니시운의 작품이라는 것이다. 거기 그려진 문양의 색깔이 중요하다는 말을 듣고서야 오코는 알아챘다. 측면에 그려진 풀꽃의 짙은 적자색을 따서 '스오'라고 명명된 향로다. 그리고 하이쿠를 좋아하는 사타로의 배호 역시 '스오'라고 했었다.

"사타로 씨와 연관이 있는 향로를 찾아낸 것은 역시 나와 그분이 인연이 있기 때문이겠죠."

향로는 아주 값이 비싸서 오코 따위는 엄두도 못 낼 명품이라고 한다. 호기심에 값을 물어봐도 오카노는 대답하지 않았지만 세이지가 가르쳐 달라고 청하자 쌩긋 웃으며 양손으로 숫자를 표시했다.

"특별히 할인을 받아서 팔십 냥이에요!"

"오카노 씨는 굉장한 부자시네요."

그 말에 오카노가 흡족한 듯이 웃었다. 오코는 오카노의 생각이 빤히 들여다보이는 듯했다.

혼담의 주인공 오카노가 80냥이나 하는 명품을 이이다야에 흔쾌히 선물하려는 것이다. 도메는 틀림없이 오코와 오카노를 비교하리라. 그렇다면 머리빗을 밑천으로 해서 만들어야 할 돈은 80냥이 넘어야 하지 않을까.

오카노는 향로를 선물해서 사타로의 환심을 사는 동시에 오코의 자금 만들기 난이도를 더욱 높이려는 것이다.

"난 오코 씨한테는 지지 않아요."

오카노는 빈정대는 표정으로 향로를 소중히 포장하더니 오코를 을렀다.

"당장 손을 떼세요. 그리고 다시는 사타로 씨에게 접근하지 말아요."

그 한 마디를 던진 오카노는 그제야 만족했는지 세이지에게 쌩긋 웃음을 지은 뒤 고다마야를 떠났다.

그러나.

안 된다는 말을 들으면 없던 힘도 내고 싶어지는 것이 사람 마음이다. 오코는 세이지를 향해 돌아서서 똑똑히 말했다.

"저런 식으로 나온다면 나도 최선을 다해 볼래. 세이지, 힘을 보태줘."

오코는 투지를 불태우지만, 이렇게까지 의욕을 내는 제 마음을 자신도 모르겠다는 생각도 들었다. 갑부의 딸 오카노가 보란 듯이 부를 과시한 것이 마음에 들지 않았을까? 아니면 사타로에게 빠졌다면서 세이지한테까지 일부러 웃어 주는 모습이 비위를 건드린 걸까?

"하여간 오기 하면 누나라니까."

세이지가 옆에서 딱하다는 듯이 말하고 어깨를 툭 떨어뜨렸다.

．

4

"세이지. 이 머리빗을 고반1냥짜리 타원형 금화으로 둔갑시킬 좋은 방법이 없을까?"

이튿날 오후, 오코가 가게에서 곤혹스런 표정으로 머리빗을 노려보고 있다. 아직 묘안이 떠오르지 않은 것이다. 세이지는 일손을 놓아버린 오코 옆에서 선반을 정리하거나 주판알을 튕기는 등 꽤 바쁘게 움직이고 있었다.

"누나, 무덤에 들어가는 날까지 기를 써도 나무토막으로 만든 물건을 황금으로 바꿀 수는 없어."

"그렇다면…… 이 빗을 대여할 수는 없을까? 세이지네는 후카가와에서 대여점도 하잖아? 어떻게 생각해?"

"열 몬, 스무 몬 벌어서 되겠어? 머리빗 하나로 팔십 냥을 벌자면 도대체 몇 년이 걸릴까."

도중에 이 빠진 빗이 되고 말 거다. 오코가 울상이 되어 세이지에게 매달렸다.

"제발 꾀 좀 빌려달란 말이야. 너는 어릴 때부터 꼭 필요할 때마다 날 도와줬잖아. 함께 감을 따 먹었을 때도 꾸중은 혼자 들어줬고……."

"그걸 다 기억해? 그때도 위험하니까 그만두자고 내가 말렸는데 누나가 오기를 부려서 기어이 감을 따고 말았지……."

말은 그렇게 해도 연상인 탓에 요즘 세이지를 꾸짖는 일이 잦은 오코에게 의지할 수 있어서 세이지도 마냥 싫지만은 않은 얼굴이었다. 세이지는 "그렇다면 하는 수 없지" 하며 돈을 벌 수 있는 묘안 하나를 내놓았다.

"팔아도 안 되고 대여해도 안 된다면 이 물건을 더 비싼 것과 계속 교환해 나가는 방법밖에 없겠지."

"교환? 더 비싼 물건과 바꿔 줄 사람은 아무도 없을 것 같은데?"

오코가 반신반의했다. 하지만 머리빗을 교환해 봐도 좋으냐고 묻자 얼른 고개를 끄덕였다.

"해 보기 전에는 알 수 없지. 그래, 어디 사는 누구와 무엇을 교환하려고?"

그러자 세이지는 악동처럼 웃으며 가게를 봐 달라 부탁하고 밖으로 나가더니 금세 고다마야로 돌아왔다.

"머리빗을 일단 이것으로 바꾸었어."

세이지가 오코 앞에 손바닥을 펴 보였다. 동글게 몸을 만 여우 모양의 네쓰케였다. 정교하게 세공되어 당장이라도 몸을 펴고 움직일 것 같은 여우였다.

"길 건너 두부 가게 미요시 씨가 얼마 전에 돌아가셨잖아. 이건 미요시 씨가 수집하던 네쓰케 가운데 하나야."

가까이 사는 미요시는 종종 고다마야에 얼굴을 비췄기 때문에 세이지는 그가 네쓰케를 애호한다는 걸 알고 있었던 모양이다. 이제는 부인의 소유가 되었지만, 남성용 장식품이므로 처분해도 상관없는 물건이다. 하지만 쉽게 처분할 수는 없었다.

"그 집안 친척들이 말이 많대. 남편 죽기가 무섭게 유품을 팔았다는 사실이 알려지면 무슨 소리를 들을지 알 수 없다는 거지."

부인도 무정한 사람은 아니지만 남편 유품이라면 그것 말고도 많다. 그 가운데 하나를 어여쁜 머리빗과 슬쩍 교환하는 거라면 괜찮지 않은가. 세이지의 말에 부인은 약간의 가격 차이에 개의치 않고 고개를 끄덕였다고 한다.

"그럼 이 네쓰케는 더 좋은 값을 받을 수 있는 거야?"

"나라면 여덟 냥쯤 주고 사겠어. 네쓰케를 좋아하는 사람이라면 열닷 냥에 사 갈지도 모르지."

"세상에, 머리빗보다 세 냥이나 더 많이 받을 수 있네! 그렇구나, 이렇게 계속 교환해 나가면 되겠어."

오코와 세이지는 번갈아 여기저기 돌아다니며 교환할 만한 물품을 물색하기 시작했다. 이런 일을 하려면 물건 보는 눈이 있어야 한다. 중고품점 겸 대여점 점원으로 훈련된 세이지가 있어서 정말 다행이었다.

"기분이 좀 묘하네. 사타로 씨를 돕는 것 같아서."

말은 그렇게 하면서도 세이지는 오코의 부탁대로 열심히 일해 주었다. 어릴 때 숙부 집에 양자로 들어온 이래 세이지는 늘 변함없이 오코에게 헌신적이다.

규베에가 가게를 지키던 어느 날 두 사람은 물품을 물색하며 거리를 걷고 있었다. 그때 오코가 웃으며 말했다.

"세이지라는 사람을 말로 표현하자면…… 그래, '불타지 않는 집', 혹은 '줄어들지 않는 만주'라고나 할까."

그 말을 들은 세이지는 고개를 갸우뚱거릴 뿐이었다.

"……왠지 별종이라고 하는 것 같네."

그 별종 덕분에 여우 네쓰케는 곧 작은 칼 한 자루로 바뀌고, 작은 칼은 다완으로 모습을 바꾸었다. 바뀌어 나가는 양상이 재미있어서 오코는 가업인 고다마야를 다시 바라보게 되었다.

"묵은 물건을 싸게만 팔 게 아니었네."

"누나는 고다마야를 물려받을 딸이니까 이제는 아저씨에게 배워서 물건 보는 눈을 키우는 게 어때? 안 그러면 장차 남편에게만 의지하게 될걸."

"그러게."

여자니까 장사에 어두운 게 당연하다고 말해서는 안 된다. 도메는 이이다야를 훌륭하게 꾸려나가고 있지 않은가.

"부인이 남자보다 더 대장부답다고 할 만큼 기가 드세니까 주위 사람들은 좀 힘들겠지만."

그래도 도메는 할 일은 다 해내고 있다. 그 점은 존경할 만했다.

그때 세이지가 문득 도자기점 안쪽을 쳐다보았다. 혹시 숨겨진 명품이라도 발굴할 수 있지 않을까 하고 오코도 함께 들여다보았다.

"아⋯⋯."

눈에 들어온 것은 안쪽 선반에 진열된 아름다운 도자기들이었다. 그 중에서도 측면에 풀꽃이 그려진 향로가 눈에 띈다.

"⋯⋯오카노 씨가 가져온 것과 꼭 닮았네. 풀이 소방색으로 그려져 있어."

향로를 주시하는 두 사람을 알아보고 고참 점원이 얼른 가게로 나왔다. 그러더니 향로에 대해 설명하기 시작했다.

"이건 교토의 명장 니시운 선생의 작품입니다. 향로는 신품이 거의 나오지 않으니까 이 가격이면 싼 거죠."

점원은 선반에서 향로를 내려 두 사람에게 보여주었다. 두 개의 향로는 형태가 조금씩 달랐다. 한 가마에서 함께 구워낸 것이라고 한다.

"니시운 선생은 소방색을 좋아하시죠. 그래서 성함을 니세무라사키似せ紫를 연상케 하는 니시운似紫雲이라고 지었답니다."

가미가타 출신인지 기품 있는 말투로 설명해 주었지만, 오코는 그 설명이 납득되지 않았다.

"소방색적자색을 좋아한다면서 왜 니세무라사키탁한 보라색로 연결되는 거죠?"

"니세무라사키도 소방색과 마찬가지로 스오를 사용해서 염색하니까요."

"어머, 두 색 모두 스오로 염색하나요? 그런데 퍽 다른 색깔이 나오는군요."

"염색할 때 스오 삶은 물에 잿물을 넣으면 소방색이 되고, 백반을 넣으면 니세무라사키가 됩니다."

같은 재료라도 무엇과 만나느냐에 따라 다른 색이 드러나는 것이 재미있다. 그 신기함 때문에 명장은 자신이 좋아하는 소방색 스오가 아니라 니시운이라 이름 지은 것은 아닐까. 그렇게 말하는 점원 옆에서 세이지가 자못 욕심난다는 표정으로 향로를 보고 있었다.

명품이었다. 하지만 아무리 봐도 값이 비싸 보였다. 이런 물건을 척척 구입한 오카노의 얼굴이 떠올랐다. 니시운이 제작한 향로는 많지 않다고 점원은 말했다.

"혹시 오카노 씨가 향로를 산 곳이 이 가게 아닐까?"

오코의 물음에 세이지도 고개를 끄덕였다. 같은 생각을 한 듯하다.

"이 향로, 얼마 전까지 세 개가 나란히 진열되어 있지 않았나요?"

시험 삼아 오코가 묻자 이미 젊은 처자에게 하나가 팔렸다는 대답이 돌아왔다.

'역시.'

눈앞에 있는 향로에도 80냥쯤 되는 가격이 붙었을 터이니 두 사람이 엄두 낼 만한 물건은 아니었다. 목돈을 만들려고 애쓰는 상황이 아니라도 아마 구입할 일은 없을 것이다. 두 사람은 얼른 가게를 나왔다. 오코가 희미하게 쓴웃음을 지었다.

"도메 씨는 저런 것을 척척 살 수 있는 돈의 힘을 원하는 거야."

분명 오코에게는 없는 것이다.

"돈만 가지고 가게가 안정적이라면 부자는 영원히 부자로 남겠네."

그러나 큰 상점이라도 기울 수가 있다. 문을 닫는 가게도 한둘이 아니라고 세이지가 주장했다. 게다가 부자라고 꼭 행복하게 살란 법도 없다.

"오, 세이지는 행복은 돈이 아니라고 믿는다는 거야?"

오코가 놀리듯이 말하자 세이지는 얼굴이 빨개져 입을 다물고 오코에게서 시선을 피했다. 그러자 오코도 어쩐지 농담을 하기 어려워져서…… 두 사람은 행인이 오가는 거리를 조금 거리를 두고 말없이 걸었다.

5

자, 내가 니혼바시에서 보고 들은 일들은 여기까지입니다. 네, 그 후에 이 몸이 팔려나갔거든요,

네? 그것만 가지고는 곤란하다고요? 사태를 처음부터 끝까지 듣고 싶다고요? 물론 제 이야기는 중간에 뚝 끝나고 말았지요. 하지만 저라고 무슨 방법이 있겠습니까.

엇, 깜짝이야. 노테쓰 씨도 참, 갑자기 박쥐 날개를 펴고 날아오르시다니. 어디로 가시게요? 오, 듣다 만 이야기에 감질나서 비술을 쓰시는 겁니까? 오코 씨가 할머니에게 받은 부적 주머니가 마침내 우리 동료가 되었다는 말씀이군요. 그 부적 주머니를 데리러 가는 건가요?

그야 오코 씨 소지품이라면 이것저것 알고 있겠지요. 그것 참 영리한 방법이군요. 오오, 오셨네. 일찍도 오셨네요.

부적 주머니님의 이름이 '세이가이하'라고요? 여전히 잠이 덜 깬 듯한 모습이긴 하지만 저도 오코 씨와 사타로 씨의 이야기를 끝까지 듣고 싶군요. 들려주시겠어요?

네, 네, 그렇죠, 세이가이하 님, 내내 입을 다물고 지낸 처지였다가 누구와 말을 한다는 것은 즐거운 일이지요.

그럼 제가 떠난 이후 이야기를 느긋하게 들어볼까요?

오코와 세이지가 물품 교환을 거듭하던 어느 날, 고다마야가 화재를 당했다.

바람 없는 날이라 근처 나가야에서 시작된 불길은 1정의 절반에도 번지지 않았다는데 불운하게도 고다마야는 그 불길이 옮겨 붙어 불타버렸던 것이다.

게다가 규베에가 화상을 입어 대피소인 절에서 드러눕고 말았다. 에도에서 화재는 드문 일도 아니라지만 집을 잃은 사람에게는 커다란 재앙이므로 흔한 일이라는 말은 위로가 되지 않는다. 가게를 잃고 화상

입은 아버지를 간병하느라 절에서 움직일 수도 없던 오코는 절에 대피한 사람들 속에서 잠시 망연자실하고 있었다.

'어쩌나, 아버지가 이리 되어 버렸으니…… 이제 나 혼자뿐이구나.'

오코는 문득 생각이 나서 사타로나 세이지를 찾아보았지만 절에는 없었다. 사타로는 어머니에게 오코와 만나지 말라는 명을 받았고 후카가와에 사는 세이지는 니혼바시에 화재가 일어났다는 사실을 모를 것이다. 가게에 왔다가 잿더미를 보고 놀라게 될 터였다.

'어쩌나…….'

하지만 이튿날 세이지가 마술처럼 절에 나타났다. 잿더미로 변한 가게 터에서 부녀의 행방을 물어서 이 절을 알아낸 것이다.

"무사했구나, 누나!"

안도하나 싶던 얼굴은 조용한 불당 구석에 따로 누워 있는 규베에를 보고 굳어졌다. 화상은 심하지 않았지만 나쁜 기운이 침입했는지 규베에의 용태가 심각해져 있었다.

"후카가와에서 아버지가 걱정하고 있어. 만약 지낼 데가 없으면 두 사람 모두 이즈모야로 옮기는 게 어떠냐고 하시는데."

가게는 전소하고 말았다. 고다마야에 있던 물품도 다 사라졌다. 품에 있던 돈도 화상을 입은 규베에를 치료하느라 쓰고 있다. 지금 고다마야에게 가게를 재건할 여유가 있을 리 없었다.

"숙부님 말씀은 고맙구나. 하지만……."

아무튼 지금은 규베에를 옮길 수 없었다.

"게다가…… 불탄 가게를 깨끗이 포기해 버리면 다친 아버지가 너무 낙담하시지 않을까."

규베에가 부모에게 물려받은 가게였다. 그 말에 세이지가 말없이 고개를 끄덕였다.

이튿날부터 세이지는 약 따위를 들고 매일 절에 드나들게 되었다. 규베에의 용태는 날로 악화되었다. 어느 날 세이지는 규베에의 베갯맡에 있던 오코를 불당 밖 복도로 불러냈다.

"무얼 하든 서둘러야 해."

그렇게 말하고 비단보에 싼 물건을 내밀었다.

"이게 뭐야?"

꾸러미를 천천히 풀었다. 그러자 새하얀 진주에 하늘색을 물들인 듯한 물색 옥비녀가 보자기 위에 나타났다.

"이거……?"

"머리빗에서 교환을 거듭해서 얻은 거야. 더 좋은 물건과 바꿀 수 있을지 모른다고 내가 다완을 맡아 두었었잖아."

머리빗은 이미 네쓰케, 작은 칼, 다완으로 교환되어 있었다. 그 후 세이지가 병풍, 금당가죽 지갑, 족자로 바꾸었고 마침내 옥비녀에 다다랐다는 것이다.

"그랬구나. 이건 무사했네."

다른 사람이 맡긴 물건이다. 화재를 면해서 다행이라고 오코가 안도의 한숨을 흘렸다.

"이 청옥은 나가사키에서 온 거래. 중국보다 먼 곳에서 캐낸 돌이라던데."

세이지의 목소리가 낮아진다.

"이 비녀를 팔면 싸게 쳐도 팔십 냥은 받아. 이거 하나면 고다마야도 다시 숨을 돌릴 수 있어."

이 말에 오코가 어깨를 움찔 떨었다. 이 비녀의 시작은 이이다야에서 맡긴 머리빗이었다. 하지만 도메는 처음부터 오코가 머리빗을 밑천으로 목돈을 만들 수 있을 거라고는 기대도 하지 않는 모습이었다.

"앞으로 누나가 사타로 씨를 만나지 않으면 머리빗이 사라져도 이이다야에서는 만족할 거야."

머리빗으로 목돈을 만들려다가 머리빗만 날리고 말았다고 하며 사과하면 그만이다. 그러니까 이 청옥은 이이다야에 돌려주지 않아도 된다는 말이다.

그 뒤 시기를 봐서 친척인 이즈모야에서 도움을 받았다고 하고 청옥을 판 돈으로 고다마야를 원래대로 재건하면 된다.

"솔직히 우리가 돕고 싶지만 지금 이즈모야에는 고다마야를 도울 목돈이 없어."

만약…… 규베에를 위해 서둘러 고다마야를 재건하고 싶다면 이 물건을 밑천으로 삼는 수밖에 없을 거라고 세이지는 말했다.

"지금까지 교환이 잘 된 것은 밑천이 될 만한 값비싼 머리빗이 있었기 때문이야. 게다가 운도 따랐고."

그런 교환을 계속해 나갈 여유는 없다. 잘 될지 어떨지도 알 수 없다. 지금 규베에의 용태가 몹시 심각하므로 가게를 재건하자면 서둘러야 했다.

이 말을 들은 오코가 작은 소리로 웃었다.

"악한 짓이네. 정말 그렇게 했다가는 지옥에 떨어질 거야."

"청옥을 목돈으로 바꾸는 건 내가 할게. 지옥도 내가 가고."

오코가 세이지를 보았다. 똑바로 쳐다보는 것은 오래간만이었다.

"게다가 도메 씨는 누나를 이이다야의 며느리로 들일 마음이 애초부터 없어 보여."

이번 내기는 오코를 거부하기 위한 구실이다. 사타로가 절에 찾아오지 않는 것은 아무래도 향로 때문에 말썽이 났기 때문일 거라고 세이지는 말했다. 그런 소문이 있다면서.

"향로?"

"그래서 나는 누나가 원하는 일에 이 물건을 써도 된다고 생각한 거야."

오코는 입술을 일그러뜨리며 청옥을 보았다. 매끈한 면은 오코의 고민 따위에 아랑곳하지 않고 티끌 없이 아름답다.

'내가 원하는 일?'

그게 뭘까? 내 본심은 무엇을 원하는 걸까? 내 마음인데 왜 이렇게 알 수 없을까? 당혹스러워 주먹을 꼭 쥐었다.

"나는……."

그때. 불당 안에서 두 사람을 급하게 부르는 소리가 들렸다.

아버지의 용태가 위험하다고 고하는 소리였다.

규베에는 그대로 회복하지 못하고 저승으로 떠나 버렸다. 피난중이라 제대로 치료도 못한 채 신세를 지던 절에서 장례를 치르게 되었다.

이번에도 사타로는 절에 오지 않았다.

그런데 장송도 끝나고 힘겹게 여기저기 인사도 마친 이튿날, 사타로가 불쑥 절에 찾아왔다.

"오코 씨, 이번에 얼마나 상심이 컸어. 장례식에 들여다보지도 못하고 미안해."

뒤늦게 찾아온 것을 사과하고 위패에 향을 올린 뒤 고개를 깊이 숙인다. 간만에 보는 얼굴이 왠지 몹시 여위어 보였다.

"저어, 무슨 어려운 일이 있었다고 들었는데, 괜찮으세요?"

위로하겠다고 온 사람을 도리어 오코가 걱정해 주자 사타로는 쓴웃음을 지었다.

"이런, 소문까지 났나."

하지만 누군가에게 털어놓고 싶었는지 절 한쪽 구석에서 저간의 사정을 순순히 들려주었다.

"그게, 얼마 전 스미요시야의 오카노 씨에게 스오라는 이름의 향로를 받은 적이 있었어."

값비싼 물건이라고 해서 사타로는 마음만 받겠다고 하며 거절했지만 상대방은 꼭 받아주었으면 좋겠다며 향로를 놔두고 가 버렸다. 그리고 그 뒤에도 이이다야에 자주 찾아왔다. 부모가 오카노 편이라 처신이 곤란했다고 사타로는 말했다.

"아버님 장례식 밤샘이 있던 날에도 오카노 씨가 왔어. 어머니가 내 뜻도 묻지 않고 내 방으로 안내하고 말았지. 덕분에 빠져나올 수 없었던 거야."

게다가 곧 소동이 일어난 탓에 외출할 겨를이 없었다.

"내가 보관하던 향로 스오가 사라져 버렸거든."

"…… 사라져요? 사타로 씨 방에서?"

없어졌다는 이야기를 듣긴 했어도 세이지와 오코는 이상한 일이 벌어진 줄은 알지 못했다. 사타로에 따르면 나무 상자에 담아 방 안에 놓아두었는데 나중에 뚜껑을 열어보니 텅 비어 있더란다. 스오가 흔적도 없이 사라져 버린 것이다.

"솔직히 말하지. 주변에서는 내가 스오를 몰래 내다 판 거 아니냐고 의심하고 있어."

화재로 가게를 잃은 오코가 곤경에 빠졌다. 사타로는 무슨 일이 있어도 돕고 싶었으리라. 하지만 머리빗을 놓고 내기를 약속했으므로 사타로가 오코를 도와줄까 봐 도메는 아들에게 주던 용돈도 끊었다. 해서 사타로는 지금 수중에 돈이 없었다.

"그러니까 내가 좋아하는 여자에게 주려고 혼담 상대가 준 선물을 내다 팔았다고 의심하는 거지."

다들 너무 심하지 않느냐며 사타로는 쓴웃음을 지었다. 그리고 그 탓에 혼담이 깨질 뻔했다. 이 일은 이이다야와 스미요시야의 체면 싸움이 되어 버렸기 때문이다.

하지만 난처해진 도메가 향로 건을 수습하기 위해 오히려 혼담을 적극적으로 밀고 나갔다. 덕분에 사타로는 더욱 난처해지고 말았다.

그 말을 듣던 세이지가 짐짓 불평을 했다.

"이이다야 안주인께서 지난 번에 누나한테 그랬잖아요? 만약 머리빗 하나로 목돈을 마련할 수 있다면 이이다야의 며느리로 못 받아들일 것도 없다고."

"어머니는 뭔가 불리한 일이 생기면 종종 건망증이 심해지거든."

세이지의 물음에 사타로가 한숨을 지었다.

"그건 약속을 깨겠다는 건가요? 그럼 맡겨 주신 머리빗은 어떻게 하죠?"

"상관없으니 오코 씨가 그냥 가져. 약속을 깬 것은 어머니잖아. 어머니가 뭐라고 하면 내가 그 점을 상기시켜 드릴게."

이토록 확실하게 말하는 모습은 믿음직스럽지만 자기 문제를 놓고는 "미치겠네, 미치겠어"라는 말만 거듭할 뿐이었다. 하지만 상황이 이렇게 되어도 사타로는 부모가 시키는 대로 따를 생각이 없는 듯했다. 처음으로 보는 사타로의 그런 모습에 오코가 눈썹을 치켜들었다.

'부모가 억지로 혼인을 추진하면 조만간 깨끗하게 신부를 받아들일 줄 알았는데.'

사타로에 대한 주변의 평은 붙임성 좋고 명랑한 남자라는 것이다.

하지만 능력을 보자면…… 이이다야에서 뭔가를 사고 싶다면 주인 내외나 동생들이 가게를 지키고 있을 때가 아니라 사타로가 있는 날을 택하라는 말이 있다. 그런 이야기는 본인도 잘 알고 있었다. 모두 사타로를 가볍고 상대하기 쉽고 인내력 없는 사람이라고 생각하는 듯했다.

그런데 이토록 믿음직한 모습이라니! 불의의 사태가 벌어지자 사타로는 지금까지처럼 가볍게 처신하지 않았다. 부모가 강요해도 예, 하며 따르지 않는다. 오코가 사타로에게 물었다.

"이이다야 안주인님은 스미요시야와 오가는 혼담이 큰 상점의 후계자에 어울리는 만족스러운 것이라고 하셨어요. 그런데 왜 오카노 씨가 탐탁지 않은 거죠?"

"그야 오코 씨한테 빠져 있으니까지."

"이유가 그것뿐이라면 지금 사타로 씨를 걷어차 드릴까요?"

"어허, 사람 냉정하네."

사타로가 쓴웃음을 지었다. 하지만 이윽고 오코에 대한 호감이 아니라도 오카노하고는 함께하지 않을 거라고 했다.

"특별히 그 아가씨를 싫어하는 건 아니지만."

사타로는 이내 스오를 사용한 염색 이야기를 시작했다. 아마 오카노가 향로를 살 때 그릇 가게에서 듣고 사타로에게 전했던 이야기를 지금 꺼내는 것이리라.

"스오는 잿물을 쓰면 소방색이 되고 백반을 쓰면 니세무라사키가 된다고 들었어. 니세무라사키가 차분한 색이긴 하지만 나는 스오란 재료 이름이 그대로 붙은 색이 좋아."

그러나.

"오카노 씨와 결혼하면 매사 스미요시야와 갈등을 만들지 않으려고 내 마음을 스스로 억누르겠지. 마치 백반을 넣은 스오처럼 내 색깔이 가짜 보라색니세무라사키으로 변해 버릴 거라고. 틀림없이 그렇게 될 것 같다는 생각이 들어."

색깔에 대한 취향의 문제는 아니다. 다만 사타로는 니세무라사키가 되고 싶지는 않았다. 그게 전부였다.

사타로가 오코의 눈을 쳐다보며 조용히 말했다.

"향로를 찾아내지 못한 채 이번 혼담을 거부하면 우리 집안이 난처해지겠지. 내가 말썽의 원인이야. 그러니까 내가 직접 뭔가를 하지 않을 수 없어."

그래서 사타로는 결정했다고 한다.

"나는 이이다야를…… 에도를 떠날 거야."

그래도 가독 상속은 동생이 둘이나 있으니까, 라는 이야기를 오코와 세이지가 눈을 휘둥그레 뜨고 듣고 있었다.

6

신참 부상신 부적 주머니 세이가이하의 이야기에 귀를 기울이던 이즈모야의 부상신들이 일제히 술렁거렸다.

"세상에. 스오라는 향로 이름에 그런 이야기가 숨겨져 있었다니."

고이가 흥분한 목소리로 말하자 노테쓰나 쓰쿠요미나 가라쿠사는 시끄럽게 이야기하기 시작했다.

"오카노는 향로를 선물해서 혼담을 굳힐 작정이었을 텐데. 그 향로가 남자를 궁지로 몰아 행방을 감추게 만들었단 말인가."

고이의 말에 노테쓰가 신음하듯 말했다.

"허어, 쓰쿠요미, 사타로가 보기보다 기골 있는 사내였군."

"지금은 어디서 어떻게 지내고 있을까. 정말 에도를 떠났을까?"

"떠난 건 맞을 거야, 우사기. 아니라면 오코나 여러 사람이 벌써 오래 전에 거처를 파악했겠지."

"그렇겠죠."

와글와글 신나게 떠드는 부상신들에게 누군가 말했다. 신참 세이가이하였다.

"저어, 아직 얘기가 남았는데……. 계속할까요? 어떻게 할까요?"

다만, 하고 말을 끊었다.

"오코 씨가 사타로 씨를 어떻게 생각하는지…… 아니, 생각했는지에 대해서는 이야기를 마저 들으면 알 수 있을 텐데……."

가게 안의 잡담이 그 순간 딱 그쳤다. 세이가이하에게 시선이 집중되었다. 그리고 단 한 마디만 들렸다.

"그럼 어서 하던 얘기를 해!"

세이가이하가 당황해서 입을 열었다.

"이이다야를 떠나겠다고요?"

놀라는 오코와 세이지에게 사타로가 웃음을 보였다.

"부모는 날 보고 게으르다고 하지만 나도 장사가 싫은 건 아냐. 진기한 물건들이 모이는 나가사키, 혹은 대상인이 즐비한 가미가타로 가서 일을 배우고 싶던 참이야."

게다가, 가능하면 무일푼으로 내 가게를 만들어 보고 싶다고 했다. 그렇게 말하는 남자는 경박하지도 안이하지도 않아 보였다.

"가게를 떠난다…… 그게 쉬운 일인가요?"

오코와 세이지는 맨손으로 장사를 시작하는 것이 얼마나 어려운지 경험으로 알고 있었으므로 그 말만 듣고도 불안해졌다. 그러나 세이지의 얼굴을 쳐다보는 사타로가 자신 있게 히죽 웃었다.

"세이지는 아직 꼬마라서 힘들지도 모르지."

사타로는 지금 의욕이 넘친다.

"오코 씨에게…… 같이 가자고는 말 못해. 무엇보다 돈이 없으니까. 고생길이 훤하잖아."

하지만.

"기다려 주면 안 될까? 최대한 빨리 돌아올 테니까."

사타로가 처음으로 오코에게 본심을 직접 털어놓았다. 오코는 이제 열여덟 살이므로 몇 년씩 기다리게 하는 것은 가혹한 짓임을 알고 있다. 그래도 한 번은 정식으로 말해 보고 싶었다며 조금 쑥스러운 듯 웃음을 지었다.

세이지가 무서운 얼굴로 두 사람을 보고 있었다.

"……사타로 씨, 무리하지는 마세요."

오코는 작심한 듯한 목소리로 말했다. 뜻밖에 대담해 보이기는 해도 사타로는 큰 상점의 장남으로 태어나 귀하게 자란 사람이다.

다섯 몬, 열 몬 푼돈에 쩔쩔매 본 일도 없을 것이다. 이이다야의 장남이므로 주변에서도 친절하게 대해 주었을 것이다. 당연했던 일상이 외톨이가 되는 순간 다 날아가 버릴 텐데.

"화재로 길거리에 나앉았을 때 지인들은 각자 가족을 부양하느라 다들 여념이 없더군요. 나는…… 다음날 세이지가 찾아와 줄 때까지 아버지랑 단 둘뿐이었어요. 챙겨주는 사람을 잃으면 정말로 큰 두려움에 사로잡히게 되죠."

오코는 사타로가 그렇게 되지 않기를 바라는 것이다. 아니, 사업의 성공 여부와 상관없이 자기 탓에 누군가가 그런 쓸쓸한 처지에 빠지는 것이 싫은 건지도 모른다.

오코가 벌떡 일어났다. 그러고는 불당 구석으로 가서 얼마 안 되는 짐 가운데 작은 나무 상자를 꺼내더니 사타로와 마주앉아 그것을 내밀었다.

"이 상자는 뭐지, 오코 씨?"

"이걸 갖고 이이다야에 돌아가세요."

사타로가 한쪽 눈썹을 쳐들어 보인 뒤 무릎 위에서 작은 상자를 열었다. 안에서 나온 것은 작은 향로였다.

"어? 스오 아닌가!"

이이다야에서 사라진 향로가 왜 오코 손에 있을까. 사타로가 놀란 얼굴로 오코를 보았다. 그때 옆에서 세이지가 끼어들었다.

"사타로씨, 그건 스오가 아닙니다. 명인이 함께 구워낸 세 향로 가운데 하나로, 이름은 '삼요三曜'라고 한답니다."

겨울 하늘에 나란히 걸린 세 개의 별에서 취한 이름이라고 한다. 스오와 비슷하지만 무릎 위의 향로에는 분명 삼요 도안이 새겨져 있었다.

"놀랍군, 꼭 닮았어. 하긴 한 가마에 도자기를 백 개 이상 구워 낸다고 하니까 향로도 여러 개 있었겠지."

그러나, 하고 사타로는 세이지를 보며 고개를 갸웃거렸다.

"비싼 물건으로 보이네. 어떻게 구했지?"

"그 향로는 이이다야에서 맡긴 머리빗이 이렇게 저렇게 모양을 바꾼 결과물입니다."

사타로는 세이지에게 머리빗을 다른 물건으로 교환해 나간 이야기를 듣고 눈을 동그랗게 떴다.

"그러다가 우연히 스오를 닮은 향로를 발견했지요."

머리빗은 네쓰케, 작은 칼, 다완 등으로 모습을 바꾸고 마지막에는 값비싼 청옥으로 바뀌었다. 그것을 판 80냥으로 오코가 향로를 구입했다.

"오코 씨가 제대로 목돈을 만들었군."

사타로가 빙긋이 웃었다.

"그러나 이걸 줘도 어머니가 그 약속을 기억해 내진 않을 거야. 오코 씨가 좋을 대로 써 줘."

사타로가 향로를 오코에게 내밀었다. 하지만 오카노와 마찬가지로 오코도 향로를 받으려고 하지 않았다.

"그걸 스미요시야에 스오 대신 돌려주세요. 스오와 삼요는 한 장인이 제작한 형제 향로니까 스미요시야도 받아 줄 거예요."

그렇게 하면 도메도 무리하게 스미요시야와 혼담을 추진할 필요가 없어진다. 사타로는 이이다야를 떠나지 않아도 된다.

하지만 사타로는 고개를 저었다.

"오코 씨가 만든 목돈을 내가 멋대로 쓰게 되는 거잖아. 그런 짓을 하면 어머니한테 야단맞을 거야."

"어머니에게 공연한 이야기까지 할 필요는 없잖아요. 내가 목돈 만드는 데 실패하고 머리빗을 잃은 것으로 하면 돼요."

"그럼 어머니가 오코 씨를 인정하지 않게 되잖아?"

사타로의 목소리가 낮아졌다. 오코는 개의치 않고 버텼다.

"사태만 수습된다면, 그것으로 충분하니까……."

하지만 오코는 말을 하다가 말았다. 사타로가 크게 한숨을 지었기 때문이다.

"그게, 오코 씨의 대답인가……."

사타로가 눈을 꽉 감고 눈앞에 있던 향로를 두 손으로 감싸 쥐었다.

그 순간.

사타로가 들고 있던 향로가 손에서 스르륵 미끄러졌다. 오코와 세이지는 바로 앞에서 보고 있는 수밖에 없었다.

쨍강, 하는 짧은 소리가 났다.

얇은 도자기는 허망한 소리와 함께 마루 위에서 파편으로 변하고 말았다.

"사타로 씨, 무슨 짓을……."

놀라는 두 사람 앞에서 사타로가 천천히 일어섰다.

"마음을 굳혔어. 역시 에도를 떠나야겠어."

이 향로가 있으면 다른 길이 남게 되므로 결심이 흔들릴 것이다.

"그래서 깼어."

오코의 노력을 헛수고로 만들었지만 오코는 지금 이이다야의 며느리가 될 마음이 없는 것 같으니 상관없겠지. 사타로는 그렇게 말하며 조금 쓸쓸하게 웃더니 두 사람에게 머리를 깊이 숙였다.

"성공해서 돌아올 생각이니까 작별은 고하지 않을게."

사타로는 그대로 마당으로 나갔다. 하지만 몇 걸음 떼기 전에 경내에서 절 쪽을 돌아다보았다.

"오코 씨, 나는 곧 더 좋은 남자가 될 거야. 그렇게 되면 오코 씨도 틀림없이 나한테 반할 테니까 시집가지 말고 기다려 줘."

"쓸데없는 소리 말아요!"

세이지가 사타로에게 화난 얼굴로 말했다.

"사타로 씨, 정말 스오의 행방을 모릅니까? 사타로 씨가 소동이 벌어질 것을 알고 일부러 스오를 숨겼다고 해도 나는 놀라지 않을 것 같은데."

"뭐?"

오코가 그 이야기에 눈을 휘둥그레 떴다.

"오카노 씨와의 혼담을 깨려고 말입니다. 실제로 스오가 없어져서 혼담이 깨질 뻔했잖아요?"

그 의도가 생각대로 먹혀들지 않자 가미가타로 내뺀다는 것이다. 어쩌면 향로를 품은 채.

"억측인가요?"

"……무슨 그런."

오코는 뭐가 뭔지 몰라 얼굴이 빨개졌다. 대체 무엇이 진실인가.

"이런, 별 생각을 다 하는군."

사타로는 세이지의 말에 명확하게 대답하지 않은 채 서둘러 절에서 나가 버렸다.

"어떡하지? 사타로 씨가 정말…… 상속을 포기하고 나가 버린 걸까?"

오코는 안절부절못하고 혼란에 빠진 모습이었다. 그러자 세이지가 단호하게 말했다.

"누나는 할 만큼 했어."

오코 역시 오늘이라도 절을 떠나 후카가와의 이즈모야로 옮기기로 정해졌다. 오코를 니혼바시에 묶어 두던 사람은 이제 없기 때문이다.

"하지만, 아아, 어떡하나……."

오코에게는 곁에서 지켜 주는 세이지가 있다. 이즈모야의 숙부도 있다. 하지만 사타로는 이제 외톨이가 되는 것이다.

'분명하지 못한 내 마음이 초래한 일일까?'

세이지는 입술이 일그러지도록 입을 꾹 다물고 있었다. 걱정하는 오코의 모습이 마음에 들지 않는 것이다. 오코도 잘 안다.

하지만 그래도!

오코는 아무도 없는 절 경내로 시선을 돌리고 망연자실 서 있었다.

"뭐? 사타로가 제 손으로 향로를 깨뜨렸다고!"

상상도 못한 이야기였다.

"고이, 사타로가 정말 절을…… 아니, 에도를 떠난 거야?"

"이러니 오코가 스오란 이름을 잊지 못하지."

"쓰쿠요미, 세이지도 그 이름에 예민할 거야."

부상신들이 일제히 떠들기 시작했다. 모두들 묘하게 신난 목소리였다. 그런데 이때 신참 오쿤이 얼빠진 목소리로 말했다.

"저는 아무것도 모릅니다만, 사타로 씨는 이미 에도 니혼바시로 돌아온 걸까요?"

그러자 부상신들의 목소리가 딱 그쳤다. 잠깐 침묵이 흐르다가 낮은 목소리로 수군거리기 시작했다.

"그렇지, 그렇게 떠났다면 조만간 돌아오겠군."

"그렇게 되면 오코는 어떻게 하지?"

"사타로는 크게 출세할까? 아니면 쫄딱 망해서 울상을 하고 부모 슬하로 돌아올까?"

"오코는 아직 미혼이야. 사타로는 오코를 만나면 어떻게 나올까? 세이지는 무슨 생각을 할까?"

세 사람은 어떻게 될까?

목소리의 파도는 높아졌다 떨어졌다 할 뿐 좀처럼 잦아들지 않았다. 도망치든 말든, 잊으려 애쓰든 말든, 이젠 나는 모른다고 외면하든 말든 기어이 눈앞에 도래할 시간을 모두들 예견하고 있는 듯했다.

"거 참 큰일이네. 어허…… 앞으로 재미있겠는걸."

감정은 끝없이 얽히고설켜 저승에 갈 때까지 계속되는 것일까……, 그게 바로 감정이라는 거라고 유식한 체하는 부상신도 있었다. 재미있어 하는 자, 걱정하는 자들로 이즈모야가 술렁거렸다.

부상신의 수군거리는 소리가 높아졌을 때 가게 안쪽에서 발소리가 났다. 그러자 이때만큼은 요괴들이 일제히 입을 다물었다. 이런 이야기를 오누이에게 들려줄 생각은 없는 듯했다.

"어? 아직 가게를 열기 전인데 웬일로 조용하네."

그렇게 말하며 아침 가게로 나온 것은 세이지였다. 이어서 오코도 계산대에 얼굴을 내밀고 "잘 잤니?" 하는 인사와 함께 동전함에서 동전을 조금 꺼냈다.

새벽에 다니는 행상들이 가게 앞을 잰걸음으로 지나가는 것을 오코가 불렀다. 아침밥을 준비하기 위해 낫토 장수를 불러 세운 것이다.

바람이 있는 날이라 건너편 가게의 남색 포렴이 크게 펄럭인다. 먼지가 일면 매출이 떨어진다고 행상이 수건을 어깨에 걸며 투덜거린다.

지금은, 적어도 지금만큼은 평지풍파 없는 조용한 아침이다. 세이지가 좋아한다며 오코가 국에 넣을 으깬 낫토를 고른다. 밥 짓는 구수한 냄새가 감도는 가운데 오코가 잰걸음으로 가게 안으로 들어왔다.

1

그쪽하고는 이 가게에서 처음 만나는군. 아, 네쓰케 네코가미 씨라고? 우리 인사나 합시다.

나는 쓰쿠요미라고 해. 이름 그대로 달 그림이 있는 아주 훌륭한 족자지. 이렇게 멋진 달 그림은 흔한 게 아니거든.

'쓰쿠요미에 그려진 달을 보니 수많은 밤이 떠올라 얼굴 하얀 미인이 곁에 있는 듯하네.'

이런 소리도 듣던 몸이지.

그렇게 귀하게 대접 받으며 보낸 세월이 백 년. 마침내 혼이 깃들어 요괴가 되었고 부상신을 자처하게 되었지. 네코가미 씨와 다를 게 없어. 사실 막부가 있는 에도에서는 부상신이야 드물 것도 없지만.

흠, 여기 시나가와의 가게에도 좋은 물품이 많은 것 같군. 비교적 새 물건들이라 부상신이 되지는 못했지만 내 바로 옆에 장식된 향로만 해도 아주 좋은 물건이야. 앞으로 90년쯤 지나면 말을 하게 될 것 같네. 뭐라? 그건 오사카 물건이라고?

아, 네코가미 씨도 오사카 출신인가? 멀리 시나가와 땅에서 이렇게 만나다니, 이것도 다 인연이겠지. 호오, 지금까지 다른 부상신과 얘기해 본 적이 별로 없다고? 저런, 가미가타에도 부상신은 있을 텐데 어찌된 일이지?

아하, 우연히 요괴를 만나도 누구 하나 이렇게 말을 걸지는 않더라는 말이군. 하긴 그럴 만도 하지. 아무 데서나 섣불리 말할 수도 없으니까. 가령 우리가 이렇게 얘기하는 것을 인간한테 들키기라도 하면 큰일이거든. 재수 없다며 우리를 불태워 버리기 십상이지.

그래서 아까 내가 말을 걸었을 때는 놀랐다고? 그거 미안하군. 평소 말하는 데 익숙해서 나도 모르게 편하게 말을 걸고 말았지.

응? 늘 이렇게 말을 하고 사냐고? 암. 오늘은 마침 이 가게에 대여되었지만, 내가 평소 지내는 가게에서는 다들 매일 이야기하면서 살지.

어디 있는 가게냐면 이즈모야라고, 에도 후카가와에 있는 중고품점 겸 대여점이야. 거기 주인 오누이는 우리가 이야기하는 데 익숙해진 지 오래라 새삼 놀라거나 하지도 않아. 그 가게 안에서는 부상신끼리 이야기를 해도 괜찮지. 손님이 왔을 때만 잠자코 있고, 이즈모야 오누이 두 사람이 가게를 지키고 있을 때는 얼마든지 얘기할 수 있어. 그래서인지 가게에는 부상신 동료들이 아주 많이 모여 있지.

웅? 대여점이라는 게 뭐하는 곳이냐고? 뭐랄까, 대여점은 약간의 요금을 받고 물품을 빌려주는 가게를 말해. 그래서 우리 부상신들도 종종 임대되어 나가서 돈을 벌어야 해. 나도 오늘 이렇게 돈 벌러 나왔잖아.

물론 힘들지. 하지만 주인 세이지는 위험한 곳에는 부상신을 대여하지 않아. 게다가 대여된 곳에서 사람들의 온갖 이야기를 듣고 보는 것이 재미있어. 이즈모야에 돌아가 부상신 동료들에게 그 이야기를 들려주며 즐기는 거지.

웅? 뭐라고? 이즈모야가 재미난 곳 같아서 네코가미 씨도 오고 싶다고? 그래? 우리야 부상신 동료가 오는 것은 대환영이지. 네코가미猫神 씨는 이름을 보니 신의 심부름꾼 같은데, 그렇다면 행운을 부르는 분이군.

오, 왜 그러지? 아하, 이즈모야에서 네코가미 씨를 가게 물품으로 사입해 주면 좋겠는데, 어떻게 해야 좋을지 모르겠다고? 그건 문제없어. 물론 부상신은 인간하고는 절대로 대화를 하지 않아. 그러니 세이지에게 이런저런 물품을 사입하라고 말할 수는 없어. 그래도 방법이 있지.

우리를 빌려간 가게나 창고에서 부상신 동료를 발견하면 우리는 이 즈모야에 회수되었을 때 일부러 그 이야기를 떠들어. 그러면 대개 계산대 같은 데서 우리 이야기를 듣는 세이지가 그 물품을 알아보러 가는 거야.

부상신이 된 물품은 오랜 세월 소중히 다뤄져 온 명품인 경우가 많지. 세이지는 물건 보는 눈이 있으니까 명품을 놓치거나 하진 않아. 세이지도 네코가미 씨를 보기만 하면 반드시 욕심을 낼걸. 틀림없어.

다만 종종 그렇다고 해야 할지 늘 그렇다고 해야 할지 모르겠지만, 이즈모야에는 좋은 물품을 사입할 만한 돈이 없을 때가 많아. 그게 세이지의 부족한 점이지. 중고품점 겸 대여점을 한다는 사람이 물품을 구비할 돈이 부족해서야 쓰나. 암, 안 될 일이고말고.

그래서 하는 수 없이 마음 착한 우리는 대여되어 나간 곳에서 제대로 된 물품을 발견하면 그게 꼭 부상신 동료가 아니라도 그 정보를 알려 주기도 해. 그것을 매매해서 장차 부상신을 사입할 돈을 만들어 두라는 뜻으로. 정말이지 부상신들은 사려 깊고 마음씨가 따뜻하다니까.

뭐라고? 이즈모야가 중고품점도 겸하고 있으니 주인 세이지가 우리 동료를 팔아 치우지는 않느냐고? 듣고 보니 팔려면 얼마든지 팔 수 있겠군. 맞아. 나도 지금 깨달았네.

하지만 세이지는 부상신을 판 적이 없어. 우리가 모두 이즈모야에 정착하다시피 해서 세이지도 차마 팔지 못하는 건 아닐까. 이상한 사람에게 팔려 갔다가 거칠게 다뤄지면 우리 목숨이 위험해질 테고 창고

깊숙이 들어가 외톨이가 되어 버리면 지루해서 죽을 지경일 테고. 그래서 우리가 이즈모야를 좋아하는 거야. 세이지도 그 정도는 알겠지.

오, 네코가미 씨, 뭐라고?

중고품점이라면서 명품인 부상신들을 팔지 않는다니 이즈모야에 돈이 궁한 것도 이해가 간다고? 하하하, 그건 그래. 아무튼 현재로서는 이즈모야는 작은 가게야. 물론 부자가 아니지.

누나 오코는 세이지에게 더 큰 장사를 하게 해 주고 싶은 눈치야. 고아가 된 자기를 거둬 준 숙부의 은혜에 보답하고 싶을 테니까. 그런데 작은 중고품점 겸 대여점이 돈을 잘 벌려면 뭘 어떻게 해야 하지?

뭐? 그렇게 좋은 가게라면 최소한 망하지는 않았으면 좋겠다고?

흐음, 듣고 보니 조금 걱정되긴 해. 주인 세이지가 아직 애송이거든. 물건을 보는 눈은 있지만 그밖에 세심하게 살펴봐야 할 부분을 제대로 살피지 못하는 점은 있어. 물건만 상대하고 있어선 안 돼. 장사는 사람을 상대하는 거거든.

세이지는 전에 소방색으로 풀꽃이 그려진 향로를 찾아다닌 적이 있는데, 좀처럼 찾질 못하더군. 부상신이 아닌, 말 없는 물품의 행방을 찾는 것은 의외로 어려운 일이지. 애초에 인간은 우리 부상신처럼 예리하질 못하니까. 대개 얼간이들이고 한심한 작자들이지.

특히 이즈모야의 세이지는 그 어리석음이 일급이야. 그러니까 사랑하는 여자 하나 차지하지 못하고 있지. 쯧쯧. 아니, 이건 나 혼자 한 소리야.

그런데 네코가미 씨는 네쓰케잖아? 실내를 장식하는 물건이 아닌데 어째서 도코노마 구석에 놓여 있지?

아아, 다른 물품들과 함께 이 가게 주인에게 막 팔린 참이라 잠깐 그 자리에 놓여 있는 거군. 그럼 아까 방에서 돈을 건네받은 사람이 원래 주인인가?

그런데 이렇게 말하기는 뭣하지만 네코가미 씨를 판 아까 그 사람도 당신을 가질 만한 사람처럼 보이진 않던데. 옷차림도 꼭 머슴 같고, 갖고 다니는 용품들도 조잡하더군. 파산한 사람인가? 얼핏 사람은 좋아 보이지만 나는 다 알거든. 왠지 무서웠어. 세상엔 위험한 사람이 많으니까.

뭐? 같이 있었지만 그 사람은 주인이 아니라고? 아하, 어느 노인이 주인이었다고? 에도로 가는 길이었나? 그럼 왜 시나가와에서 물품을 팔았지? 노잣돈이 궁해 보이지도 않던데.

게다가 그 젊은 사람이 돈을 받았다는 것도 마음에 걸려. 이상해. 왠지 수상한 거래처럼 보였어. 그 젊은 사람 이름이 뭐였지?

흐음, 시시한 이름이군. 이름부터가 째째해. 아무튼 세이지가 이 가게에서 네코가미 씨를 사입해 주면 좋겠어.

내가 돌아가면 동료들과 네코가미 씨 이야기를 해야겠군. 그러면 아마 세이지가 당신을 사러 올 거야.

2

이이다야 사타로가 에도에서 자취를 감춘 것은 4년 전 일이다.

사타로는 니혼바시에 있는 대형 당물점 이이다야의 장남이므로 이이다야에서는 사타로의 행방을 애타게 찾았다.

하지만 더운 여름날 조사이야定斎屋에도 시대에 시중에 약을 팔며 다니던 행상. 걸음을 옮길 때마다 멜대에 매단 약함의 서랍 쇠고리들이 짜락짜락 소리를 냈다의 약상자 쇠고리가 짤락거리는 계절이 되어도 한겨울 찹쌀떡장수가 "따끈따끈한 찹쌀떡"하고 외치며 다닐 즈음이 되어도 사타로는 찾을 수 없었다.

봄기운이 완연하여 거리에 앵초장수가 눈에 띄고 그것이 곤충장수로 변할 때가 되자 이이다야 주변에서는 모두들 사타로를 화제에 올리기를 꺼려했다. 여전히 돌아오지 않는 것을 보니, 하는 식의 이야기가 이이다야 주인 귀에 들어갈까 저어한 탓이다.

문득 생각해 보니 사타로가 사라지고 여러 해가 지났다. 왜 그런지 사타로 없는 하루하루가 일상이 되었다. 그렇게 에도에는 다시 벚꽃이 피고 마쓰리가 열리고 불꽃놀이가 끝났다.

그러던 어느 날. 이이다야 근방에서 놀라운 이야기가 흘러나왔다.

그 소식은 거래처를 통해 다른 지역에도 번지고 며칠 지나기도 전에 후카가와의 요릿집 쓰루야에까지 전해졌다. 쓰루야가 얼른 이즈모야에 달려간 덕분에 오누이 귀에도 소문이 들어가게 되었다.

"사타로 씨가 니혼바시에 나타났다고?"

이즈모야 객실에서 쓰루야의 말을 듣고 세이지와 오코는 눈이 휘둥그레졌다. 가족과 지인들을 깊은 근심에 빠뜨린 사람이 마치 잠깐 목욕탕에라도 다녀왔다는 듯이 에도에 불쑥 돌아온 듯하다.

"놀랍네. 오오, 너무 갑작스런 소식이네요. 사타로 씨답다고나 할까, 한바탕 시끄러워지겠군요."

"손님 이야기에 따르면 사타로 씨가 험한 몰골로 돌아오지는 않았다고 하더군요. 게다가 혼자 돌아온 것도 아닙니다."

안주인 도메의 숙부에 해당하는 사람, 그 숙부의 고참 점원까지 대동하고 이이다야에 얼굴을 내밀었다고 한다.

"혼자 돌아가기 두려워 친척에게 같이 가 달라고 한 걸까요."

오코가 곧 안도의 웃음을 지으며 말했다.

"어쨌든 무사해서 다행이네요."

세이지도 고개를 끄덕였다. 귀한 장남이 돌아왔으니 이이다야도 기뻐하겠지. 예전에는 몰라도 요즘의 이즈모야는 니혼바시의 대형 상점 이이다야하고는 전혀 거래가 없다. 이렇게 몇 사람 건너 소식을 전해 들으면 그것으로 끝이었다.

그런데.

소문을 듣고 이튿날, 이즈모야에 놀라운 손님이 찾아왔다. 사타로의 어머니이자 이이다야의 안주인 도메가 찾아온 것이다.

"어떻게 여기를, 오래간만입니다."

오누이가 도메에게 나란히 고개를 숙였다. 도메는 몇 해 전에 고다마야에서 만난 적이 있다. 아들 사타로가 오코에게 열을 올리는 것이 마뜩치 않아 두 사람의 관계를 확실하게 정리하려고 가게를 찾아왔던 것이다.

하지만 도메의 안색을 보고 세이지는 고개를 갸우뚱했다. 귀한 아들 사타로가 돌아왔다는데 안색이 밝지 못하다. 왠지 기분도 좋아 보이지 않는다. 행동거지 반듯한 사람이 인사도 없이 가게 마루에 앉아 오코를 보며 물었다.

"사타로가 에도에 돌아왔어요. 알고 있겠죠? 그렇죠? 그 아이가 지금 여기 있는 거 아닌가요?"

이 물음에 오코와 세이지가 놀라는 표정을 지었다. 사타로가 이이다 야에서 한숨을 돌리며 푹 쉬고 있을 줄 알았기 때문이다.

하지만 도메의 심각한 표정을 보고 두 사람은 당황하며 고개를 저었다. 그래도 의심스러운 눈초리로 쳐다보자 세이지가 쓴웃음을 지었다.

"사타로 씨가 이제 와서 여기 이즈모야에 찾아올 일도 없을 것 같습니다만."

"그럴까요? 사타로가 집을 나가기 전에 오코 씨를 조금 좋아했잖아요."

"그건 사 년이나 지난 일이죠, 아주머니."

"물론 그 아이가 가출한 것이 오코 씨 탓만은 아니지. 그건 알아요. 모든 게 그쪽 탓은 아니에요, 물론."

사타로가 떠난 것은 오코가 마음을 받아주지 않았기 때문인지도 모른다. 내키지 않는 혼담에서 도망쳤을 수도 있다. 상점의 장남으로 태어났지만 자기 원하는 대로 살고 싶었을 뿐이라고 사타로의 동생 마타고로는 말했다. 여하튼 사타로는 주변에서 보던 것처럼 부모 말에 따르기만 하는 가벼운 남자는 아니었던 셈이다.

"실은 그 전부가 집을 뛰쳐나간 이유인지도 몰라요."

그리고 4년간 행방을 몰랐던 사타로가 마침내 돌아왔다. 귀하디귀한 장남의 귀가. 도메는 내면의 혼란이 가신 기분이었다고 했다.

"그런데."

이 대목에서 도메의 표정이 갑자기 나약해졌다. 입에서 긴 한숨이 흘러나왔다. 세이지가 미간을 찡그렸다.

"무슨 일이죠, 아주머니?"

"……그게, 어제 외출한 뒤 아직 돌아오질 않고 있어요."

더구나 오사카에서 함께 온 숙부까지 없어졌다고 한다.

"설마 두 사람이 말도 없이 오사카로 돌아가지는 않았을 것 같은데요."

사타로라면 몰라도 숙부 조에몬은 나이도 들 만큼 든 사람이다. 돌아간다면 미리 언질이라도 있었을 것이다. 애초에 성인 남성이 하룻밤 집을 비웠다고 소동을 피울 것까지는 없지만…… 아무래도 상황이 이상하므로 도메는 안절부절못하는 듯했다.

'어? 무슨 일이 있었나?'

"그래요, 나흘 전 점심때였어요. 사타로가 불쑥 이이다야에 돌아왔어요. 건강해 보이더군요. 나는 무엇보다 그게 마음이 놓였어요. 살아 있어 주었구나. 그거면 충분했어요."

아무튼 도메는 어제 있었던 일은 다 말해 주겠다고 했다.

사타로는 혼자가 아니었다. 도메의 숙부 야마무라야 조에몬이 자기 가게의 고참 점원 고스케를 데리고 왔던 것이다.

야마무라야는 젊을 때 이이다야에서 가미가타로 가서 장사를 배우고 그대로 오사카의 커다란 방물 가게에 데릴사위로 들어갔다. 큰 상점의 주인 야마무라야가 일삼아 에도로 왔다는 사실에 도메는 놀랐다.

아마도 사타로는 에도를 떠나 숙부를 믿고 오사카로 간 듯했다. 그러고 보니 집을 떠난 지 4년이나 되는데 말끔한 명주옷에 값비싼 허리띠를 둘렀다. 그런 차림을 할 수 있었던 이유도 짐작이 갔다.

다만 흥분이 가라앉자 도메는 화가 나기 시작했다. 멋대로 집을 뛰쳐나가 편지 한 장 보내지 않은 아들이 아닌가.

하지만 조에몬이 옆에 있으니 일단은 일행을 가게 안으로 들였다. 고참 점원 고스케와 함께 세 사람을 가게 안쪽 방으로 안내하자 조에몬은 사타로에게 부모에게 사죄부터 하라고 일렀다. 너무 큰 불효를 저질렀다, 걱정이 태산 같았을 것이다, 면목 없다고 다다미에 엎드리다시피 하며 사타로는 부모에게 사죄했다.

"당연히 걱정했지요. 하지만 사죄했다고 그렇게 쉽게 용서할 수는 없지요."

숙부에게 차마 따질 수는 없었지만 도메는 기분이 언짢았다. 그러자 조에몬은 분위기를 추스르려는 듯이 오사카에서 있었던 일들을 들려주기 시작했다.

"들어 봐, 도메. 사타로가 사 년 전에 오사카에 불쑥 왔더구나. 그때 나한테도 이렇게 머리를 조아렸었지."

조에몬은 오사카의 방물 가게 야마무라야의 주인이다. 가게 안쪽 방에서 사타로가 가출한 이유를 자세히 고하자 조에몬은 사타로에게 주먹을 두어 대 날리며 혼냈다. 정말로 어리석은 놈이라고 생각했지만, 기왕 가미가타까지 와 버렸으니 도리가 없었다. 자기를 믿고 찾아온 친척을 무일푼으로 쫓아낼 수도 없다.

"아마 에도에서는 도메도 화가 났을 거라고 생각했지. 네가 얼마나 성격이 드세냐. 쌍방이 모두 진정하기 위해서라도 사타로를 잠시 오사카에 머물게 해서 내키지 않는 혼담이 무산되었을 때 에도로 돌려보내자고 생각했던 거야."

조에몬은 그렇게 결정하고 젊은 사타로에게 잠시 기분이라도 풀라며 제법 많은 논을 수었다. 오사카라면 즐길 곳이 없어 곤란할 일은 없다. 교토의 시마바라 유곽도 그리 멀지 않다.

"가령 잘 나가는 유녀의 단골이라도 되려면 상당한 돈이 필요할 테니까. 모처럼 가미가타에 왔으니 여기저기 가 보는 것도 재미있을 것 같았지."

도보 여행은 누구에게나 힘든 일이다. 에도에서 도카이도를 따라 오사카까지 가자면 보름 정도는 걸어야 한다. 어쩌면 사타로는 앞으로 두 번 다시 가미가타에 올 일이 없을지도 모른다. 그렇다면 마음껏 놀게 해 주자 싶었던 조에몬이 넓은 아량을 보여 주었다.

그런데.

"사타로란 녀석, 그 돈을 노는 데 쓰지 않았더군. 우리 가게에 눈칫밥 먹으며 지내면서 있는 돈을 전부 엉뚱하게 미두_{현물 없이 장부상으로 매매하는 투기시장. 전국의 연공미가 모여드는 오사카에서는 쌀을 놓고 투기가 성행했다}에 투자한 거야."

"미두?"

이 소식에는 도메도 크게 놀랐다고 한다. 사타로는 담배 사는 것도 아까워하며 오로지 미두에 투자했다.

"그리고 나니 놀랍더군. 운도 따랐는지 사타로가 한몫 거머쥐었지."

사타로가 현명했던 것은 그대로 미두에 몰두하지 않았다는 것이다. 익숙지 않은 자가 계속 딸 수는 없다고 판단하고 재빨리 투자금을 회수했다. 사타로는 그 돈으로 가게를 물품과 함께 통째로 사들여 견고하게 장사를 시작했다.

조에몬의 이야기에 이이다야 부부가 눈을 휘둥그레 떴다.

"세상에, 사타로가 가미가타에서 가게를 갖게 되었다는 겁니까? 무슨 가게를요?"

대답한 것은 사타로였다.

"여기 이이다야보다는 훨씬 작지만 방물 가게를 하고 있습니다. 같은 업종에 계시는 숙부님의 지도를 받을 수 있으니까요."

"오, 세상에."

처음에 부모는 기뻐했다. 그러나 오사카에 가게를 냈다는 이야기를 듣고 난 도메는 사타로와 말다툼을 벌이고 말았다. 사타로가 기분 좋게 방물점 주인이 된 이야기를 하자 도메는 불안해졌다. 이이다야를 물려받아야 할 아들이 오사카에 정착할 요량인지도 모른다고 생각한 것이다.

"사타로, 이이다야는 어떻게 할 작정이니?"

도메로서는 장남 사타로가 부모에게 사죄하며 돌아온 이상 당연히 에도에서 지낼 거라 믿고 있었다. 그러나 돌아가는 분위기가 이상하다고 느끼자 사타로에게 건네는 말투가 날카로워졌다.

그러자 조에몬이 재빨리 두 사람 사이에 끼어들었다. 아무래도 조에몬은 사타로의 상속 문제를 두고 갈등이 일어날 거라고 짐작하고 애써 에도까지 따라온 듯했다.

"자, 도메, 내 얘기 좀 들어봐. 사타로는 조만간 에도에도 가게를 내서 결국 이곳에 정착하고 싶다고 했어."

부모에게 제대로 효도하고 싶다고 경박한 모습에 어울리지 않게 기특한 말도 했다.

그러나.

사타로는 모처럼 자기가 시작한 가게 스오야를 닫을 생각은 없었다. 자기 가게가 따로 있으니 사타로가 이이다야를 상속하기는 어렵다. 그런데 이이다야에서는 차남 마타고로를 이미 다른 집안에 양자로 들여보냈다.

"하지만 이이다야에는 아직 우메키치가 있지 않느냐."

조에몬의 입에서 나온 갑작스런 말에 기가 드센 도메가 한쪽 눈썹을 치켜들었다.

"그런 말이 어딨어요, 숙부! 사타로가 장남이니까 이이다야를 물려받아야 합니다. 막 사들인 가게 같은 건 팔아치우면 그만 아닙니까!"

그러자 얌전한 얼굴로 듣던 사타로가 혀를 낼름 내밀었다고 한다.

"역시 순순히 용서해 주시질 않네. 동생 우메키치에게 가게를 양보하는 게 명안이라고 생각했었는데."

예전처럼 경박한 표정으로 돌아간 사타로가 에헤헤, 웃으며 머리를 긁적였다. 도메는 눈꼬리를 치켜 올리며 아들 얼굴을 노려보았다.

"사타로, 너, 이이다야를 상속하고 싶지 않은 것은 이즈모야의 오코 씨 때문이냐? 아직도 미련이 있는 거야?"

사타로가 이이다야에 돌아오면 부모 뜻에 맞는 혼담이 또 들어올 것이다. 하지만 스오야 주인으로 살면 매사 자기 뜻대로 할 수 있는 폭이 훨씬 크다.

"하긴 너는 돈보다 제 뜻대로 사는 걸 좋아하니까."

도메가 그렇게 말하자 사타로는 또 헤헤헤, 하고 웃었다. 도메는 잠시 사타로를 노려보았지만…… 아무튼 말다툼은 더 이상 이어지지 않았다.

조에몬이 피곤하다고 하므로 어쩔 수 없이 잠자리에 들게 되었다. 연세가 연세인지라, 하며 고참 점원 고스케도 걱정이라는 얼굴이었다.

아무래도 상속 문제는 차분하게 이야기하기 전에는 결론을 낼 수 있을 것 같지 않았다. 사타로도 그렇게 생각했는지 "내일 다시 말씀하시죠" 하고 태평하게 말했다. 하지만 이튿날이 되자 사타로는 에도에 온 게 간만이어서인지 조에몬과 여기저기 돌아다니기 시작했다.

"우와, 굉장하네요."

계산대 앞에 앉아 있던 세이지와 오코는 여기까지 듣고 놀라움을 숨기지 못했다.

'와, 맨손으로 가게를 차린다고 하지만 부자는 역시 방식부터가 다르네.'

세이지는 하루 장사를 위해 고리대금업자에게 일수를 빌려 사입하는, 하루 벌어 하루 먹고사는 사람들을 자주 본다. 화덕이나 이불조차 대여점 이즈모야에서 빌리는 사람들이다. 갑부인 숙부에게 미두를 할 만한 목돈을 융논으로 받아 어렵지 않게 가게를 갖게 된 사타로의 모습은 부럽기도 하고 납득하기 힘든 다른 세상 일처럼 들렸다.

그러나.

'생각해 보면 우리 이즈모야도 부모에게 물려받은 가게지.'

물려받은 규모가 크게 다를 뿐이다. 사타로를 부러워하는 것은 남의 떡만 크게 보는 심보인지도 모른다. 억제된 호흡을 하고 있는 세이지의 맞은편에서 도메가 이야기를 계속했다.

"숙부 덕분인지 사타로의 방물 가게 스오야는 지금 잘 되고 있답니다."

"오, 가게 이름이 스오야입니까? 스오……."

사타로가 자기 배호를 오사카 가게의 옥호로 삼은 것이다. 세이지는 옆에 있는 오코를 보고 눈을 가늘게 떴다.

'사타로 씨는 여전히 스오란 이름을 잊지 않고 있구나. 그렇다면 누나도 잊지 않았다는 걸까…….'

오코는 아직 미혼이고, 돌아온 사타로가 결혼을 했다는 이야기도 나오지 않았다. 오코를 향한 감정이 스오란 이름과 함께 되살아나는 기분이 들어 세이지는 저도 모르게 낯을 찡그렸다.

'사타로 씨는 에도를 떠나면서 누나에게 자기가 돌아올 때까지 기다려 달라고 했지. 그로부터 몇 년이 지나 이제 기억도 가물가물한 약속이 되었다고 생각했는데…….'

도메의 이야기 너머에 소방색 그림이 그려진 향로가 보이는 듯했다.

그때 도메의 목소리가 갑자기 냉랭해졌다.

"사타로가 오랜만에 만난 동생 우메키치에게 그랬대요. 에도에 돌아왔으니 누구에게 돌려줘야 할 물건이 있다. 나는 사타로가 오코 씨에게 여비라도 빌렸나 보다 생각했어요."

그러나 오코는 모르는 이야기다. 애당초 사타로는 이즈모야에 찾아오지도 않았다. 두 사람은 도메의 말에 고개를 가로저었다.

사타로는 어제 조에몬과 외출했다가 밤이 되도록 이이다야에 돌아오지 않았다고 한다.

3

중고품점 겸 대여점 이즈모야는 한낮에 임시로 문을 닫게 되었다.

이이다야 도메가 결국 아무것도 알아내지 못하고 귀가하자 이즈모야에서는 주인이 일손을 놓아 버려 영업을 할 수 없게 된 것이다. 세이지는 계산대에 앉아 미간에 주름을 모으고 생각에 빠졌다.

문을 닫은 가게 내부는 어둑했다. 봉당에는 손님이 원하면 언제든 대여품으로 변하는 우산이나 나막신, 빗자루 등이 나란히 놓여 있었다. 그 옆은 선반이다. 계산대를 에워싸듯 벽을 따라 배치되어 있다. 대낮인데도 그곳에서 기묘한 말소리가 들려오고 있었다.

"모처럼 에도로 돌아온 사타로가 또 행방을 감추었다니. 돌아온 게 나흘 전인데. 이상하지 않아, 우사기?"

"이상하네. 사타로가 여기저기 돌아다닌다잖아."

"우사기 씨, 노테쓰 씨, 정말 이상한 일이군요. 사타로 씨는 어디로 간 걸까요?"

두 부상신에게 말을 건넨 것은 이즈모야의 신참 부상신 오비토메 오쿤이었다. 이 물음에 노테쓰가 웃었다.

"오쿤, 사타로가 안 들어오는 건 걱정할 일이 아닌지도 몰라. 숙부와 함께 나갔다잖아. 어쩌면 오랜만에 요시와라에 갔는지도 모르지."

요시와라의 유곽에 틀어박혀 잠시 지내고 있을 수도 있다는 말이다.

"하지만 이상한 것은 그것 말고도 또 있어. 에도로 돌아온 사타로가 제일 먼저 오코를 만나러 오지 않았다는 거야."

그러게, 하고 우사기 목소리가 이어졌다.

"사타로는 에도를 떠날 때 오코에게 기다려 달라고 했어. 성공해서 돌아오면 결혼할 생각이었던 거지. 물론 사내니까 가미가타에 있는 동안 변심했을 수도 있어."

하지만 결혼을 하려면 얼마든지 오사카에서 결혼할 수 있었을 것이다. 사타로는 가미가타에서 가게 주인이 되었으니 신붓감은 많았을 게 틀림없다.

그러나 사타로가 이이다야에 데려온 사람은 부인이 아니라 숙부였다.

"난 사타로가 지금도 오코를 좋아하는 거라고 생각해."

그렇다면 어째서 사타로는 여기저기 다니면서도 정작 오코를 만나러 오지 않을까.

"그 이유를 알면 사타로가 또 사라진 까닭을 알 수 있겠지."

부상신의 직감이라고 하며 노테쓰가 기분 좋은 목소리로 껄껄 웃었다. 그러자 아씨 인형 부상신 오히메가 끼어들었다.

"이봐, 우사기, 노테쓰. 도메가 그랬다잖아. 사타로는 누군가에게 돌려줘야 할 물건이 있다고. 그게 뭘까? 누구에게 돌려준다는 거지?"

이 물음에 잠시 이즈모야 내부가 조용해졌다. 그러자 세이지가 혼잣 말을 하는 소리가 희미하게 들렸다.

"그래…… 뭘 찾고 있느냐가 문제로군."

하지만 부상신들은 계속 침묵할 생각이 없는지, 곧 추측이 난무하여 세이지의 목소리를 지워버렸다. 가게 안은 한층 시끌시끌해졌다.

"그야 가미가타로 떠나기 위한 노자겠지. 사타로는 오코가 아니라 대부업자에게 빌렸을 거야."

"노테쓰, 그렇다면 벌써 오래 전에 가미가타에서 돈을 부쳐서 갚지 않았을까? 사타로는 성공해서 방물 가게 주인이 되었다고."

"노름빚이 있었다면…… 아차, 그것도 노자와 마찬가지로 가미가타 에서도 갚을 수 있겠구나."

마지막 목소리는 계산대에 앉아 있는 세이지 쪽에서 들려왔다. 하지 만 부상신들이 저도 모르게 세이지와 말을 섞은 것은 아니었다. 그 말 소리의 주인은 계산대에 놓여 있던 부상신이었다. 금당가죽 지갑이 요 괴로 화한 자로, 가라쿠사라는 이름을 갖고 있다.

"그러니까 사타로가 돌려주고 싶은 '무엇'은 가미가타에 있어서는 돌려줄 수 없는 것이겠지. 그게 뭐지? 돈은 아닐 테고."

"흐음……."

부상신들이 잠시 끙끙거리다 침묵해 버리자 이번에는 정적이 오래 계속되었다. 답을 찾지 못하고 그대로 침묵에 빠지는가 싶었는데 또 세이지의 작은 목소리가 들렸다.

"가미가타에서는 구할 수 없는 것……."

이때 드물게도 주뼛거리는 목소리로 말을 꺼낸 자가 있었다. 쓰쿠요미였다.

"그런데, 저어, 즐겁게 사타로 얘기를 나누는데 끼어들어서 미안하지만……, 나는 여러분과 빨리 얘기하고 싶은 게 있어. 화제를 바꿔서 미안한데, 괜찮나?"

쓰쿠요미는 어제까지 며칠간 시나가와의 여관에 대여되어 있었다. 요괴 쓰쿠요미가 후카가와 요릿집 쓰루야에 임대되었을 때 마침 시나가와에서 볼일을 보러 와 있던 손님이 쓰쿠요미를 발견하고 주목했다. 손님은 시나가와에 여관을 연 지 10년이 된 것을 기념하는 잔치에 쓰쿠요미를 장식하고 싶다는 것이다.

세이지는 부상신은 팔지 않는다. 하지만 거리가 멀어도 대여는 한다. 그런 연유로 쓰쿠요미가 시나가와까지 일하러 갔다.

"실은 내가 대여되었던 시나가와의 여관에 네쓰케 부상신이 막 팔려와 있었어. 이름은 네코가미였어."

명품 네쓰케였던 만큼 지금 여러분에게 그 부상신 이야기를 해 두고 싶다고 쓰쿠요미는 의미심장한 말투로 말했다.

그러자 쓰쿠요미가 하려는 이야기를 짐작했는지 부상신 동료들이 즉시 그 화제에 호응해 주었다. 세이지에게 들으란 듯이 모두들 네코가미라는 네쓰케에 대하여 소리 높여 이야기하기 시작했다.

그러나 세이지는 여전히 뭐라고 혼잣말을 중얼거릴 뿐, 네코가미가 상아로 만들어졌다고 해도, 빛깔이 멋지다고 알려 주어도 흥미를 보이지 않았다. 이래서는 곤란하다고 생각한 쓰쿠요미는 네코가미가 흥미롭게 세공되었다는 등 오사카 출신이라는 등 이야기를 더 늘어놓았다. 그러자 갑자기 세이지가 고개를 들었다. 세이지가 선반으로 얼굴을 돌리자 말소리가 딱 그쳤다.

"그래? 닷새 전이라면 시나가와 근처에 와 있었을지도 모르겠군."

세이지는 네코가미에 대해서는 일언반구가 없었다. 다만 뭔가 납득한 것처럼 고개를 끄덕였다. 차를 내온 오코가 고개를 갸우뚱했다. 두 사람은 쓰쿠요미 쪽은 보지도 않고 뭔가 이야기를 나누었다. 불만 어린 수군거림이 선반 여기저기에서 들려왔다.

"이거…… 곤란한데."

"아니, 그냥 가게에 부상신 살 돈이 없을 뿐인지도 모르지. 그래서 세이지는 애초부터 우리 얘기를 들을 마음이 없었을 거야."

"그래서는 곤란하지. 네코가미한테 미안하잖아."

마침내 쓰쿠요미 말에 초조함이 묻어났다.

"참, 네코가미가 있던 여관에는 잘 만든 향로도 함께 팔려왔더군. 아직은 한참 젊은 향로라 당분간 부상신이 되기는 틀렸지만, 아주 좋은 물건이더라고."

그 향로는 몰래 훔쳐서 파는 장물이라 값이 저렴한 듯했다.

"싸게 살 수 있을 게 틀림없어. 그걸 사서 적당한 곳에 되팔면 좋은 값을 받을 수 있을 거야. 그러면 돈을 벌 수 있잖아."

이 정도면 흥미를 보일 만한 이야기인데도 세이지는 반응이 없었다. 뿐만 아니라 쓰쿠요미가 있는 선반을 갑자기 다시 돌아다보았다. 그리고 평소라면 절대로 하지 않을 행동을 했다. 직접 질문을 던진 것이다.

"쓰쿠요미, 네코가미를 판 자의 이름이 뭐지?"

저도 모르게 대답하려는 쓰쿠요미를 주위 부상신들이 탁 때려서 말렸다. "왜 이래?" 선반에서 울 것 같은 목소리가 나왔다. 그러자 안쪽 선반에서 짐짓 태연한 목소리가 들렸다.

"근데 우사기, 고스케小助라니, 이름부터가 아주 쩨쩨하게 들리지 않아?"

"고스케……."

세이지는 고개를 한 번 끄떡하고 옷자락을 탁 휘두르며 일어섰다. 그리고 부상신 지갑 가라쿠사를 집어 들었다.

"누나, 잠깐 나갔다 올게."

"왜? 오늘은 가게 문을 닫고 생각을 정리하려던 거 아니었어?"

네쓰케 부상신인 노테쓰를 허리띠에 착용하는 세이지를 보고 오코가 놀란 얼굴이 되었다. 세이지는 미간을 찡그리며 그대로 봉당으로 내려가 게다를 신었다. 그리고 오코를 돌아다보았다.

"내가 생각해도 사타로 씨를 찾는 게 좋을 것 같아서."

"어디에 있는지 짐작이 가?"

"아니."

그러나 마음은 급하다.

"혹시 사타로 씨 일행에게 위험한 일이 있었던 건 아닌가 하는 생각이 들어서."

뜻밖의 이야기에 오코가 할 말을 잃었다.

"사타로 씨는 에도에 돌아왔어. 그렇다면 제일 먼저 누나를 찾아와야 했어."

이즈모야에 오지 않은 데는 이유가 있을 것이다. 세이지는 사타로의 마음이 변했다고 생각할 수 없었다. 그럼 무슨 까닭일까.

"사타로 씨는 누군가에게 뭔가를 돌려주어야 한다고 했대."

부상신들이 말한 대로 아마 돈은 아닐 것이다.

"사타로 씨는 그 뭔가를 아직 확보하지 못해서 구하러 다니는 게 아닐까."

그래서 에도에 돌아온 뒤 매일 외출하는 거겠지. 그렇게 생각하면 조리가 맞는다.

세이지는 아까 부상신들의 대화를 듣고 '뭔가'에 관하여 머릿속에 스치는 것이 있다고 했다.

"어머니 도메 씨도 생각하지 못하는 걸 세이지가 안다는 거야?"

조금 의심스러운 듯이 오코가 물었다.

"누나, 쓰쿠요미가 시나가와에서 네코가미라는 부상신을 만났대. 그런데 그 여관에 좋은 향로가 있었다는 거야."

"뭐? 시나가와의 그 향로는 사타로하고는 관계가 없…… 우옥."

저도 모르게 세이지에게 말을 건네려는 쓰쿠요미를 다른 부상신이 놀라서 틀어막았다.

"향로……."

오코가 눈을 크게 뜨고 있었다.

"그 말을 듣는 순간 문득 떠오른 거야. 사타로 씨가 또 에도에서 향로를 찾고 있는 건 아닐까 하고."

"왜 이제 와서 또 향로를?"

오코는 납득이 안 가는 듯 입술을 살짝 일그러뜨렸다. 사타로가 예전에 향로를 수집하는 취미가 있었다고 하지만 이제 막 에도에 돌아온 참이다. 벌써부터 취미에 열중한다는 것은 상상하기 힘들다. 세이지가 오코에게서 시선을 비켰다.

"아마 전에 잃어버린 향로가 있었기 때문이 아닐까."

"무슨 소리니, 세이지. 사타로 씨가 잃어버려서 소동이 벌어진 향로 '스오'는 분명히 회수해서 지금 스미요시야에 있지 않니? 사타로 씨와 혼담이 있던 오카노 씨의 가게 창고에 보관되어 있잖아."

4년이나 되는 세월이 흘러 이이다야와 스미요시야의 혼담은 무산되고 말았다. 이제 와서 사타로가 스미요시야에 찾아가 향로를 달라고 청한다는 것은 생각하기 힘들다. 오코의 말에 세이지가 쓴웃음을 지었다.

"물론 사타로 씨가 이제 와서 스미요시야에 찾아가거나 하지는 않겠지. 하지만 잃어버린 향로는 스오 하나만이 아니었어."

"뭐……?"

스오를 빚은 명인이 함께 제작한 꼭 닮은 형태의 형제 향로들이 있었다. 4년 전 오코가 사타로를 위해 그 가운데 하나인 삼요를 구입했었다.

"사타로 씨는 삼요를 자기 손으로 깨뜨리고 에도를 뜰 결심을 굳혔었지."

하지만 스오의 형제 향로는 하나가 더 있다.

"스오를 찾아다닐 때 가게에서 같이 봤잖아. 누나도 삼요와 나란히 있던 그 향로를 봤을 거야."

"……칠요였지."

칠요에는 삼요와 마찬가지로 소방색 풀꽃이 그려져 있고 별 일곱 개도 그려져 있었다.

"사타로 씨가 원한 것은 스오가 아니라 자기가 깨뜨린 삼요를 대신할 물건인 것 같아. 그러니까 칠요를 찾을 거란 말이지."

그 향로를 들고 오코를 만나려고 하는 게 아닐까. 삼요를 깨뜨리고 오코와 떨어져 지냈지만, 칠요가 있으면 그 골을 메울 수 있을 거라 생각하고 오코를 만나기 위해 세 번째 향로를 찾고 있다. 세이지는 그렇게 직감했다.

"세상에…… 칠요라니."

세이지의 말에 오코는 아연실색하여 가게에 우두커니 서 있었다. 잠시 아무 소리도 나지 않았다. 부상신들도 입을 다물어 이즈모야는 정적만 가득했다.

곧 오코가 가만히 앞으로 나섰다.

봉당에 선 세이지에게 다가가자, 단차가 있어 세이지를 살짝 내려다보게 되었다. 왠지 박력이 느껴져 세이지는 저도 모르게 한 발 물러나려고 했다. 오코가 한 발을 더 다가섰다.

이내 철썩, 하는 야무진 소리가 났다.

세이지가 정신을 차려 보니 오코에게 따귀를 맞은 참이었다.

4

"누나……."

세이지가 어둑한 가게 안에서 얼빠진 소리로 말했다.

오코에게 뺨을 맞은 것이 처음은 아니다. 애초에 오코는 온순하다는 단어와 거리가 멀다고 할까, 단어의 뜻을 혼동한다고나 할까…… 여하튼 얼핏 상냥하고 귀여운 얼굴을 하고 있지만 말괄량이 기질을 타고났다.

둘이 다퉈도 대개는 이유가 단순해서 세이지가 먼저 사과하고 끝난다. 늘 그렇게 해 왔다.

하지만 이번에는 오코에게 맞은 이유를 알 수 없었다.

"누나, 왜……."

"갑자기 한 대 치고 싶어서."

그렇게 말하니 대답할 말이 없다. 그런 세이지를 오코가 전에 없이 언짢은 표정으로 쳐다보았다.

"아아, 사타로 씨도 그렇고 세이지도 그렇고, 왜 사내들은 다 이렇게 종잡을 수가 없을까."

"근데, 누나, 도대체……."

"세이지, 너도 그래! 누나? 봐, 또 나를 누나라고 부르네."

작작하지, 하고 오코가 입술을 일그러지도록 다물었다.

"난 세이지의 의붓사촌이지 누나가 아냐! 언제까지 동생처럼 굴래!"

단호한 말에 세이지는 온몸을 희미하게 떨며 입을 다물었다. 언젠가 오코를 이름으로 부르고 싶다고 생각하면서도 지금까지 계기를 잡지 못하고 있었다. 그런데!

'설마 누나가, 아니 오코가 먼저 이제는 누나라고 부르지 말라고 대놓고 요구하다니.'

낯이 뜨거워진다. 빨개졌을 게 틀림없다. 오코는 한없이 불쾌한 듯 가게 안 마룻바닥을 구석에서 구석까지 왔다 갔다 하기 시작했다.

"사타로 씨는 왜 이상한 것에 연연할까. 향로라고?"

오코는 전에 없이 분노한 모습이었다. 온몸에서 무서운 기운이 배어 나오는 탓인지 가게에 오누이밖에 없는데도 부상신들은 모두 쥐죽은 듯 조용했다.

"사타로 씨가 이제 와서 칠요를 찾고 있다고? 삼요 향로를 깬 것은 사 년 전이야. 그 향로 건은 다 끝난 일인데."

사타로는 여전히 향로의 추억에 휘둘리는 걸까? 그래서 세 번째 향로가 없이는 오코를 만나러 올 수 없다고 생각하는 걸까?

한편 세이지는 친누나도 아닌 오코를 계속 누나라고 부르고 있다. 세이지가 어릴 때부터 부르던 호칭이다.

"어째서 사내들은 이상한 것에 계속 연연하는 걸까."

자기 생각에 빠진 나머지 정작 오코의 마음이 어떤지는 짐작도 못한다. 이해를 못 한다. 그렇게 말하며 오코는 세이지를 힐끔 돌아다보았다. 세이지는 온몸이 오그라드는 기분이었다.

"사타로 씨가 나를 만나고 싶다면 빈손으로라도 빨리 오면 돼. 그런데 4년 만에 에도에 돌아와서도 이러니저러니 바보 같은 변명이나 하고 있어."

날카로운 말의 날끝은 아니나 다를까 이내 세이지에게로도 향했다.

"세이지! 너, 사타로 씨 생각을 질리도록 잘 아는 것 같은데, 혹시 세이지도 비슷한 생각을 하는 거니? 그래서 잘 아는 거야? 그래서 나를 누나라고 부르니?"

오코가 불쾌한 듯이 물었다.

정말 답하기 힘든 물음이었다. 정곡을 찌르고 드니 무섭다. 하지만 순순히 그렇다고 고백하자니 이후가 두렵다. 세이지는 한숨을 지으려다가 당황하며 참았다.

이런 판국에 한숨을 토하면 또 뺨을 맞을 게 뻔했다.

'젠장, 이대로는⋯⋯.'

세이지는 내면에 남아 있는 침착함을 열심히 긁어모았다. 그리고 조금 엉거주춤하기는 했지만 힘겹게 화제를 돌렸다.

"어, 어쨌든 자세한 이야기는 나중에 하자고. 지금은 사타로 씨 일행을 찾아야 하니까."

오코가 미간을 찡그리고 입을 다물었다. 할 이야기가 남아 있는 듯했지만 사타로 일행의 안부도 걱정되는 것이다. 아무리 종잡을 수 없는 생각에서 나온 행동의 결과라 해도 종적이 묘연한 두 사람을 그냥 두기도 어려워 위태로운 대화는 잠시 접어두게 되었다.

"사타로 씨가 외출한 목적이 향로 칠요를 찾는 거라면 많은 돈을 가지고 있을 거야. 노상강도라도 만났는지 몰라. 찾아봐야겠어."

서둘러 나가려는 세이지를 오코의 한 마디가 붙들었다.

"잠깐만, 세이지. 혼자서 이 넓은 에도 바닥을 뒤지고 다니려고?"

"칠요를 찾아보려고. 그러면 사타로씨를 찾을 수 있을지도 몰라."

"그 향로를 본 건 사 년도 넘은 일이잖아."

오코와 함께 열심히 향로 스오를 찾아다녔지만 쉽지 않았던 과거가 떠올랐다. 사타로 일행이 걱정되어 급하게 찾아낼 필요가 있다면 막연히 돌아다녀서는 곤란하지 않을까?

"그럼…… 어떻게 찾을지 좋은 방법이라도 있어?"

저도 모르게 튀어나오려는 누나라는 말을 세이지가 혀로 감아 붙들었다. 오코는 알아채지 못했는지 물품을 진열한 선반으로 다가가 족자를 집어 들더니 다른 선반에 있던 인형이나 담뱃대나 머리빗 등을 돌아보며 말했다.

"부상신이 인간과 말을 섞지 않고 교류도 하지 않는다는 건 잘 알아. 그러니까 대답을 안 해도 좋아."

그러나.

"사타로 씨 일행이 무사한지 빨리 알아내야 해. 그래서 말인데 당신들 힘을 빌릴 수 없을까?"

오코는 앞으로 부상신들을 일제히 여기저기에 대여할 생각이라고 말했다.

"각자 대여된 곳에서 칠요에 대해서 알아봐 줘. 그곳에 혹시 다른 부상신이 있으면 좀 물어봐 주고."

"오, 그런 수가 있었네."

지금까지 이런 부탁을 하고 부상신을 대여한 적은 없었다. 다만 소문을 듣기 쉬운 장소에 대여했다가 회수한 뒤 전해 들었을 뿐이다.

지금은 상황이 급하다. 떠도는 소문이 아니라 부상신이 직접 동료들을 통해 칠요의 행방을 알아봐 주면 도움이 될 것이다. 창고나 가게 구석에 처박혀 있어도 그 위치를 알아낼 수 있다.

다만 부상신들이 평소처럼 일언반구가 없으니 그 부탁을 받아들였는지 어쨌는지 알 길이 없었다. 오코가 선반을 향해 어딘지 싸늘한 미소를 보냈다.

"이번에 전혀 도움이 안 되면 세이지가 뭐라고 하던 이 가게의 부상신들을 전부 팔아치울 거야."

달칵, 하고 나무 상자가 움직였다. 무슨 상황이 벌어졌을 때 진짜로 무서운 사람은 세이지가 아니라 오코 쪽이다. 부상신들은 종종 그렇게 수군거렸다. 세이지도 같은 이야기를 여러 번 들었다.

오코의 목소리가 곧 상냥하고 부드러워졌다.

"만약 너희들이 뭔가 도움을 준다면…… 그래, 네코가미였나? 아까 너희 이야기에 등장했던 네쓰케를 구입해서 이 가게에 놔두겠어. 동료를 늘려 주겠다는 거지."

오코의 선언을 듣고 세이지가 감탄한 듯이 두 눈썹을 치켜들었다.

'엿과 채찍을 쥐고 거래하자는 거군.'

그래도 다들 묵묵부답이었다. 하지만 부상신이 받아들였다고 믿고 가는 수밖에 없다.

"어디에 어떻게 대여하면 부상신들이 소문을 모아 올 수 있을까."

물품은 잠깐 대여했다가 금방 회수해야 한다. 아무에게나 마구 떠맡길 수도 없다. 오코가 고개를 갸웃거리자 세이지가 대안을 내놓았다.

"이번에도 쓰루야 손님들을 이용해 볼까? 홍보용이라고 하면서 물품을 무료로 하루나 이틀간 대여해 주겠다고 하는 거지."

공짜라면 누구나 혹한다. 많은 사람들이 물품을 들고 돌아갈 것이다.

"좋은 생각이네."

요릿집 쓰루야는 후카가와의 유곽에 가는 길에 잠깐 들르는 손님들이 많다. 에도 각지에서 찾아오므로 물품을 여러 지역으로 퍼뜨릴 수 있을 것이다. 수많은 이야기를 수집하는 일이 가능하다.

세이지와 오코는 부상자들을 보자기에 싸들고 서둘러 쓰루야로 향했다.

'대체 칠요는 어디에 있는 걸까.'

세이지는 풀꽃이 그려진 값비싼 향로를 떠올렸다. 사타로가 깨뜨린 향로 삼요의 파편들도 머릿속을 스쳤다.

그로부터 4년이 지났다는 것은 물론 알고 있다. 하지만 향로가 다시 문제가 되니 지나간 시간이 돌아온 것처럼 느껴졌다. 그리고 저마다 품은 생각들도 돌아와 있었다.

5

왠지 머리가 아프다.

둔탁한 느낌에 두뇌 회전도 시원치 않다. 이러다가 오코에게 혼나고 말겠다는 생각이 들었다.

'오코? 그래, 누나다. 아니, 누나라고 했다가 또 뺨 맞을라…….'

오코라는 이름이 떠오르자 머릿속이 맑아졌다. 그 순간 눈을 번쩍 뜰 수 있었다.

"……천장이 높네."

옆으로 눈길을 돌리고서야 자기가 낯선 방에 누워 있다는 것을 알았다. 불편한 몸 상태에도 힘겹게 윗몸을 일으켜 보니 혼자가 아니었다. 남자 얼굴 두 개가 그를 들여다보고 있었다.

"오, 정신이 들어? 영 깨어나질 않아서 걱정했잖아, 세이지 씨."

자신의 이름을 부르는 남자가 웬지 눈에 익었다. 4년이나 보지 못해도 잊을 수 없는 얼굴이라는 것이 있게 마련이다.

"사타로 씨……."

종잡을 수 없고 어딘지 가벼워 보이고 게다가 얄미운 남자의 얼굴이다. 행방을 알 수 없다고 해서 도와줄 요량으로 열심히 찾아다녔는데, 갑자기 당사자가 제 발로 나타난 것이다.

"사타로 씨는 늘 사람을 놀라게 하네요. 지금까지 어디 있었어요?"

말하다가 오른쪽 머리가 지끈거려 저도 모르게 낯을 찡그렸다. 사타로가 얼른 수건을 들고 옆에 있던 나무 물통에 적셔 꼭 짰다. 머리에 대주니 기분이 좋아졌다. 손으로 머리를 더듬어 보았다. 무슨 까닭인지 커다란 혹이 있었다.

"여기는……? 내가 왜 다친 거죠?"

"기억이 안 나? 혼조에 있는 전당포 아키타케야야."

"아, 맞아요. 칠요를 찾아 이 가게에 왔었죠."

어제 일들이 머리에 떠올랐다. 말없이 기억을 더듬는 세이지를 사타로와 조에몬이 걱정스런 눈빛으로 쳐다보고 있었다.

어제 대여점 이즈모야는 지인이 하는 요릿집 쓰루야에서 손님들에게 부상신을 대여했다. 공짜로 대여된 물품들은 오늘 오전에 회수되었다. 그러자 이즈모야 내부는 금세 온갖 이야기들이 오가게 되었다.

평소에는 궁금한 것을 물어봐도 부상신은 물론 인간에게 대답을 하지 않는다. 뭘 시켜도 듣질 않는다. 그러나 이번만큼은 오코가 무서운지 부상신들은 향로 칠요에 관한 소문을 제대로 수집해 왔다. 전해들은 소문들을 오코가 종이에 기록했다.

"오, 칠요 소문은 전부 스미다 강 동쪽의 혼조와 후카가와 쪽에서 나오고 있어."

"그렇다면 지역을 좁힐 수 있겠군."

세이지의 말에 오코가 고개를 끄덕였다.

"하지만 강 동쪽에도 무가 저택은 많아. 세이지, 이 소문에만 의지해서 칠요를 추적할 수 있을까? 무가 저택 창고에 들어가 버렸다면 찾기가 힘들 거야." 무사들의 거처는 에도성을 중심으로 스미다 강 서쪽에 집중되어 있었다. 인구가 크게 늘면서 부지가 부족해지자 에도성 동쪽의 습지대가 개발되어 혼조, 후카가와 지역이 되었다. 이 지역은 주로 상공업자들과 서민들이 많이 살았다.

"상가 거리에서 소문이 나오는 것을 보면 가능성이 있을 것 같은데."

세이지는 사타로도 칠요를 찾기 위해 소문을 추적했을 거라고 생각했다.

"어쨌거나 말만 하고 있어서는 사타로 씨를 찾을 수 없어. 이제 소문을 추적해 봐야지."

세이지가 네쓰케 노테쓰와 금당가죽 지갑 가라쿠사를 집어 들었다. 그러자 오코가 오늘은 같이 가겠다고 말했다.

"급하잖아. 나도 찾아볼래."

세이지는 마뜩찮은 표정을 지었다.

"사타로 씨는 아직 안부가 확인되지 않았어. 위험한 일에 말려들었는지도 몰라. 두 사람이 같이 움직이는 건 좋지 않아."

"여자라고 무시하는 거야?"

세이지가 봉당에 서서 고개를 젓자 오코의 볼이 불룩해졌다. 세이지는 쓴웃음을 지었다.

'화재로 오코가 아버지를 잃고 우리 가게에서 지내다가 나중에는 우리 아버지도 돌아가셨지만, 어른들이 돌아가신 뒤에도 오코는 정말 착실하게 일해 왔어. 나를 제대로 된 상인으로 키우려고 열심이었지.'

전에 이이다야 도메가 내기를 제안했을 때는 한 치도 물러서지 않았다. 원래 지고는 못 사는 성격이었다. 그것이 오코였다.

'변하지 않았어.'

세이지는 오코에게 돌아서서 어깨에 손을 얹었다.

"오늘은 가게에 있어. 만약 내가 위험해지면 도와주러 와 줘."

그때를 대비해서라도 남아 주었으면 좋겠다고 말했지만 오코의 얼굴은 여전히 뚱했다. 조금 곤혹스러워하는 것 같기도 했다.

"세이지가 위험한지 어떤지 여기 이즈모야에 앉아 있으면 이렇게 알겠어. 옆에 없으면 소용없잖아?"

"흠, 그건 그렇군. 하지만…… 내가 위험에 빠지면 이 네쓰케 노테쓰가 가게로 날아서 돌아올지 모르지."

노테쓰는 박쥐 모양의 부상신이었다.

"이놈은 마음이 내키면 박쥐 모습으로 가게 안을 날아다니니까."

이즈모야의 부상신들은 자기들이 오래오래 살며 훌륭한 존재라고 늘 말한다. 그들에 따르면 인간인 세이지보다는 당연히 훌륭한 존재이다.

"그러니 이 어리석은 인간이 위험해지더라도 훌륭한 부상신 노테쓰라면 충분히 도망칠 수 있을 거야. 가게에 돌아오면 부상신 동료들에게 내 얘기를 하겠지. 어리석은 세이지가 위험에 빠졌다고 불쌍해할 거야."

그러면 달려와서 나를 도와줘. 세이지는 오코에게 진지하게 부탁했다.

"오코만 믿을게."

그 말을 들은 오코가 조금 토라진 표정을 지었다가 곧 한숨을 쉬더니 가게에 선 채 어깨를 살짝 움츠렸다.

"사람 구워삶는 데도 능숙해졌네."

아직 납득한 것은 아니다. 하지만.

"지금은 나를 누나라고 부르지 않았으니까 봐주지. 하는 수 없네. 네 말대로 해 볼게."

세이지는 생긋 웃는 오코의 어깨에 가볍게 손을 얹고 살짝 힘을 주었다. 그러고는 말없이 이즈모야를 나섰다.

거기까지 떠올린 세이지는 팔짱을 끼고 옆에 있는 두 사람을 보았다.

"그래, 사타로 씨를 찾으려고 이즈모야를 나섰었지. 그다음에 어디로 갔더라?"

"오 이런, 세이지 씨는 우연히 전당포에 들른 게 아니라 나를 찾으러 왔던 거야?"

사타로가 세이지의 말에 눈을 동그랗게 떴다. 칠요 소식을 추적하여 사타로의 행방을 알아내려 했다고 하자 더욱 놀랐다.

"이즈모야의 세이지 씨가 왜 이런 수고를 하지? 아하, 혹시 오코 씨가 나를 걱정해서 당신을 시켜 날 찾는 건가?"

에도에 돌아왔으면서도 사타로는 아직 이즈모야에 들르지 않았다. 사타로가 귀가했다는 소문을 들은 오코가 이유를 알고 싶어 세이지에게 알아보도록 한 게 아니냐는 얘기다.

사타로의 눈이 광채가 깃든 것처럼 반짝이며 기뻐했다. 하지만 세이지는 그 섣부른 생각을 냉큼 부정했다.

"천만에요. 애초에 행방을 감춘 사타로 씨를 걱정한 이이다야의 안주인이 우리 가게에 찾아온 게 시작입니다."

"어머니가? 이즈모야에?"

"혹시 오코가 사타로 씨 행방을 아는지 확인하러 오신 겁니다. 물론 걱정이 많으셨지요."

그때 사타로가 오사카에서 성공하여 가게 주인이 되었다는 소식을 도메에게 들었다. 조에몬이 함께 왔다는 것도 그때 알았다.

"에도에 돌아온 나에 대해 오코 씨가 뭐라고 했지?"

"……뭐 이런저런."

세이지의 대답은 짧았지만 그 말투가 마음에 들지 않았는지 사타로는 다시 수건을 들고 물에 적신 뒤 이번에는 조금 거칠게 돌려주었다. 세이지는 여전히 아픈 머리에 물수건을 댔다.

"사타로 씨는 아마 그 향로를 찾는 모양이라 생각하고 향로 소문을 추적했어요. 그 소문을 쫓아 후카가와에서 혼조를 향해 북쪽으로 올라오고 있었던 겁니다."

세이지가 추측한 대로 사타로는 칠요를 찾아 여기저기 창고나 가게를 방문하고 있었다.

'아씨 인형 부상신 오히메가 듣고 온 이야기가 정확했군.'

"사타로 씨는 칠요를 찾아 먼저 후카가와의 기름가게에 갔더군요."

"맞아. 거기엔 이미 없더군."

사타로가 다음으로 향한 곳은 은퇴한 포목점 주인의 집이었다. 거기에도 이미 칠요는 없었다.

"기름가게 주인도 은퇴한 포목점 주인도 사타로 씨를 똑똑히 기억하고 있더군요. 향로나 머리빗 따위를 구입했기 때문이죠. 주머니가 두둑한가 봐요."

"아, 예쁜 물건들이 보여서 샀지."

여자들이 쓰는 머리빗 세 개와 입술연지도 샀다고 한다.

"오코 씨에게 어울릴 것 같아서."

전부 오코를 위해 샀다고? 하는 생각에 세이지는 낯을 찡그렸다.

사타로의 마음은 막 갈아낸 구리거울에 비치는 얼굴보다 더 또렷해 보였다.

은퇴한 포목점 주인의 집을 나선 세이지는 부상신이 전해 준 이야기에 의지하여 북으로 북으로 걸었다. 다테카와 운하에 걸린 니노하시 다리를 건너 동서로 상가가 길게 줄지어 있는 혼조 지역으로 들어섰다. 그 북쪽으로는 무가 저택이 이어지고, 스미다강 쪽으로는 드넓은 오코메구라막부의 쌀 창고가 집중된 지역으로, 약 3만 6천 평 지역에 수로를 따라 54개 창고 건물에 상시 4~50만 석의 쌀을 보관한다가 있었다.

부상신 고이에 따르면 포목점을 떠난 칠요는 은퇴한 무사가 인수했다고 한다. 그 후 혼조의 무가 저택 지역 한쪽에 있는 전당포에 들어가게 되었다고 오쿤이 말했다. 무가에서 땅을 싸게 임대했는지 매우 넉넉한 면적에 들어선 전당포란다.

"하지만 전당포 이름까지는 알 수 없어서…… 사람들에게 물어가며 전당포를 일일이 돌아보고 있었죠."

세이지는 착실하게 전당포를 찾던 중이었다. 그랬는데 대체 무슨 이유로 다쳤을까. 그 생각을 하니 다시 머리가 지끈거렸다.

"듣던 대로 마당이 넓은 전당포가 보여서 그 가게로 들어갔었죠."

하지만 전당포 창구에는 점원이 나와 있지 않았다. 가게 옆으로 돌아가 내부를 들여다보니 부지 안에 창고 두 채가 보였다. 창구 건물 바로 뒤에 있는 창고를 향해 아무도 없느냐고 소리를 지르려다가…… 세이지는 목소리를 삼켜버렸다.

'아, 그때 노테쓰와 가라쿠사가 갑자기 말을 시작했었지.'

주변에 사람이 없었지만 부상신으로서는 보기 드문 행동이었다. 가만 들어 보니 더 뒤쪽에 있는 창고에서 무슨 기척이 있다는 것이었다. 세이지는 까치발을 하고 맨 뒤쪽 창고를 바라보았지만 아무것도 알 수 없었다.

"노테쓰, 저 창고 안에 사람이 있어?"

그렇게 물어도 역시 대답이 없었다. 세이지는 마음을 다잡고 처음 보는 전당포 안으로 들어갔다.

"그랬어요! 과감하게 맨 뒤쪽 창고로 다가가자 안에서 무슨 목소리가 들렸어요. 사람이 갇혔어요! 살려주세요! 라는."

세이지는 얼른 문으로 다가섰지만 자물쇠가 단단히 잠겨 있었다. 전당포에 아무도 없는 것을 방금 확인한 참이었다. 마음이 급해져서 소리쳐 물어보았다.

"혹시…… 그럴 리는 없겠지만, 사타로 씨세요?"

"그래. 이이다야 사람인가? 빨리 문을 열어줘. 목 말라 죽겠어. 같이 있는 숙부께서 힘들어하셔서."

마침 먼 길을 걸어온 참이라 허리에 수통을 찬 것은 다행이었지만, 바닥을 드러낸 지 오래였다.

"아, 아아. 알았어요!"

어떻게든 자물쇠를 열 수 없을까 해서 당겨도 보고 밀어도 보고 끝내는 뜰에서 돌을 주워 때려도 보았지만 꿈쩍도 하지 않았다. 이즈모야에도 갖춰 놓고 싶을 정도로 튼튼한 자물쇠였다.

'차라리 상가 거리로 돌아가 이걸 열 수 있는 기술자를 찾는 수밖에 없겠다.'

밖에서 인기척이 사라지면 창고 속의 사타로 일행이 불안해할까봐 한마디 해 두고 가려고 세이지는 창고 2층의 창으로 얼굴을 쳐들었다.

그때! 갑자기 눈앞에 번갯불이 튀었다.

허리띠 쪽에서 까맣고 작은 그림자가 휘리릭 날아오르는 것이 얼핏 보였다. 그러고는 이내 모든 것이 검게 물들어갔다.

6

"아아, 누구에게 얻어맞은 거였나."

머릿속이 맑아지자 세이지는 엉뚱한 일격을 기억해 냈다. 그때 맹장지가 열리고 낯선 사람이 들어왔다.

마흔쯤 돼 보이는 남자로 전당포 아키타케야의 주인이라고 한다. 세이지 옆에 내려놓은 작은 쟁반에는 정성이 느껴지는 빛깔의 약탕이 놓여 있었다.

"오, 깨어나셨나? 다행이군요, 다행이에요."

아키타케야는 깊이 안도하며 말했다. 듣고 보니 세이지를 때려눕힌 것은 이 남자 같았다.

"왜 저를 때린 겁니까?"

"세이지 씨, 아키타케야 씨에게 화낼 것 없어. 창고 문을 억지로 열려고 했잖아? 도적으로 오해한 거야."

아키타케야는 사타로 일행이 갇혀 있는 것을 전혀 몰랐던 듯했다. 오늘도 아키타케야는 마침 소리가 들리지 않는 창고 안에 들어가 있어서 세이지가 찾아온 것도 몰랐다고 한다.

"그런데 두 분은 왜 창고에 남겨진 거죠?"

그렇게 물으며 약탕을 조금 마신 세이지는 그냥 더 누워 있을 걸 하고 생각했다. 예전에 속아서 먹어 본 까맣게 구워낸 도마뱀구이랑 맛이 비슷했다.

"실은 이 창고 2층에 향로 칠요가 있었어. 우리가 즉시 구입했지."

아울러 모처럼 혼조까지 온 두 사람은 이참에 지금껏 바쁘게 지나쳤던 다른 가게의 물건도 봐 두고 싶었다.

"그래서 귀한 물건을 고참 점원에게 주어서 먼저 돌려보냈지. 그 탓에 전당포 측은 손님이 모두 돌아갔다고 오해하고 문을 닫아버린 거네."

베갯맡에 있던 노인이 설명해 주었다. 사타로와 함께 행방을 감췄다는 오사카의 숙부 야마무라 조에몬이 분명했다. 낯빛이 여전히 창백한 모습이었다.

"우리가 나올 수 있었던 것도 다 세이지 씨 덕분이야. 당신이 아키타케야 씨에게 얻어맞을 때 창고 안에서 있는 힘껏 소리쳤지. 그래서 아키타케야 씨가 알아차린 거고."

세이지의 혹이 두 사람을 구한 셈이다. 조에몬은 쓴웃음을 지으며 머리를 깊이 숙였다. 다친 것이 도움이 됐다니 다행이라며 세이지도 웃는 수밖에 없었다. 주인이 내준 탕약 절반은 쟁반에 살짝 남겨 놓았다. 그러고는 사타로를 힐끗 쳐다보았다.

사타로가 칠요를 확보했으니, 집에 돌아가면 즉시 오코를 만나러 이즈모야로 향할 것이다. 답답한 것은 질색이라고 확실하게 말했던 오코도 만남에 응할 게 틀림없다. 물론 향로 때문에 늦게 찾아온 것을 놓고 오코에게 따가운 소리를 들을지 모르지만.

'만나면 두 사람은 무슨 이야기를 할까. 그때 나는 어떻게 처신해야 하나……'

오코는 사타로에게 무슨 말을 할까?

'소극적으로 굴다가는 사타로 씨한테 오코를 빼앗기고 말 거다.'

세이지는 문득 두려운 기분이 들었다. 오코가 없는 이즈모야는 생각해 본 적도 없다.

'어떡하나, 어떡하나, 어떻게 하지?'

4년간 찾지 못한 스오를 둘러싸고 확실하지 않았던 일이 이제 어딘가에 종착하려고 한다.

'나는……'

부처님이 최선의 답을 가르쳐주시지 않으려나, 하고 내심 합장을 해 보았다. 그러나 아쉬울 때만 신심을 내는 남자를 받아줄 만큼 부처님이 호락호락할 리 없다.

고민을 풀지 못하고 아무 답도 얻지 못한 채 여하튼 자리를 털고 일어났다. 세이지가 뜻밖에 건강해 보이자 사타로 일행은 안심하는 듯했다. 조에몬과 사타로는 오래 갇혀 있던 탓에 피곤했는지 아키타케야에게 바로 배를 불러 달라고 청했다. 후카가와로 가든, 그 너머 니혼바시로 향하든 배를 타면 빠르고 편하다. 세이지도 일단 한숨을 놓았다.

'아아, 이것으로 이번 일은 끝났구나.'

그래야 마땅했다. 세이지의 혹이 사타로 일행을 도왔고 칠요는 다행히 찾아냈다. 사태는 뜻밖에 매끄럽게 끝난 것이다.

그런데. 그런데 세이지는…… 그다지 가슴이 개운치 못하다.

'뭐지?'

이제 모두들 가게로 무사히 돌아가기만 하면 만사 잘된 일 아닌가.

'왜 마음이 이리 켕기는 걸까.'

까닭은 알 수 없지만 그런 감정은 가시지 않았다. 사타로 일행과 전당포 마당으로 나와서도 세이지는 영 개운치 않았다.

"이번에 세이지 씨 덕분에 살았네. 뭔가 보답을 해야겠는데."

배를 기다리기 위해 아키타케야를 나와 다테카와 운하변에 도착하자 조에몬이 마음이 놓였는지 빙긋이 웃으며 지갑을 꺼내들었다.

세이지가 단호하게 사양했다.

"오코가 칠요와 사타로 씨를 걱정해서 제가 찾아다녔을 뿐입니다. 대여점은 손님에게 의뢰를 받고 일할 때만 수고비를 받습니다."

이 말을 들은 조에몬은 흥미로운 장난감이라도 발견한 듯한 얼굴로 세이지의 얼굴을 빤히 쳐다보았다.

"세이지 씨, 장사하는 사람이 그렇게 융통성이 없으면 곤란하지."

가볍게 훈계를 한다.

"내 입으로 말하기는 뭣하지만 우리 가게 야마무라야는 오사카에서도 꽤 큰 가게요. 사타로의 친가인 이이다야에 못지않은 규모지."

그런 곳과 인연을 맺을 기회가 왔을 때 상인이라면 공연히 조심하며 거절하기보다는 매끄럽게 살리는 방법을 생각하라는 것이었다.

하지만 세이지는 꿈쩍도 하지 않았다.

"필요 없다면 필요 없는 겁니다."

그러자 조에몬은 자기 지갑에 달린 네쓰케를 가리켰다.

"이즈모야는 대여점이라고? 그럼 이걸 드릴까? 저렴하게 물품을 대여하는 가게라면 아마 없지 싶을 만큼 훌륭한 물건인데."

"아뇨, 괜찮습니다. 이즈모야에도 좋은 물품이 많으니 염려 안 하셔도 됩니다."

"이런, 오코 씨 때문에 이이다야의 친척인 나에게 금품을 받기가 꺼려지나. 사타로는 이번에 구한 칠요를 바로 선물할 모양이던데."

"저희는 작은 가게이지만 정말 좋은 물품들을 갖추고 있습니다!"

세이지는 그렇게 말하고 허리를 더듬어 네쓰케 노테쓰를 보여주려고 했다. 그러나 이내 놀란 표정이 되어 허리의 주머니를 확인했다.

'이런, 노테쓰가 없어졌네.'

어디로 날아가 버렸을까? 당황한 세이지가 품에서 가라쿠사를 꺼내

가게 물품들 가운데 하나라며 조에몬에게 보여주었다. 그러자 조에몬이 고개를 갸웃거리더니 작은 가게에 이런 명품이 있느냐고 물었다.

"네, 꽤 많은걸요. 품질 좋은 물품은 요즘도 비싸니까 저희 같은 작은 대여점에서는 빌리려는 사람이 많지 않습니다."

그래도 요즘은 근방 요릿집을 찾는 손님들이 빌리기도 한다. 세이지로서는 이즈모야의 장래를 이런 물품에 의지하고 싶지만, 아직은 생각뿐이라며 웃었다.

그러자 조에몬이 뜻밖의 말을 꺼냈다.

"그럼 이즈모야에 손님을 소개해 줄까."

야마무라야는 오사카에 있지만 에도 쪽과도 거래가 있다. 원래 에도 출신이고 친가가 니혼바시의 이이다야이다. 취향을 위해 금당가죽으로 만든 물품을 빌릴 수 있는 무가나 큰 상점의 주인, 혹은 체면을 따지는 무가를 고객으로 소개해 줄 수 있다고 한다.

"한번 생각해 보게."

조에몬이 가볍게 말했다. 세이지는 그저 눈만 휘둥그레 뜨고 있었다.

'놀랍군······.'

반가운 이야기였다. 멋진 기회가 분명했다.

하지만 더욱 바빠질 부상신들이 불평할 것 같다는 생각도 들었다. 결국 세이지는 영업에 관해서는 오코와 상의해서 결정한다는 말로 즉답을 피했다. 그때 어깨너머로 비아냥거리는 목소리가 들렸다.

"이런, 여전히 혼자서는 가게 일을 결정하지 못하나?"

사타로가 웃었다. 오코에게 향로를 선물하러 온 사타로에게 이와 비슷한 이야기로 비웃음을 샀던 것을 생각하고 세이지는 낯을 찡그렸다.

'왠지 괜히 도와주었다 싶은 사람들이네.'

당장 다시 창고로 던져 넣어 버리고 싶은 남자였다. 세이지가 넌더리 난 표정을 하고 있을 게 분명한데도 사타로는 더욱 친근하게 다가와 치근덕거렸다.

"그러고 보니 세이지 씨한테 보답해야 할 게 또 있었네."

조에몬이 재미있다는 표정으로 그 모습을 보고 있었다.

"동생 마타고로한테 들었어. 내가 가미가타로 떠나게 된 원인 가운데 하나였던 사라진 스오 향로를 스미요시야 창고에서 찾아 주었다지? 덕분에 그 혼담에 대한 부담을 덜 수 있었어."

사타로가 진짜 고맙다고 말하자 세이지는 더욱 떨떠름한 얼굴이 되었다.

"듣고 보니 왠지 내가 사타로 씨를 위해 일했던 것 같네요."

"그러게 말이야. 뭐, 조만간 인척이 될지도 모르니까 잘 지내자고."

"무슨 소리를 하고 싶은 겁니까!"

오코가 이미 사타로와 함께하기로 정해진 것처럼 말한다.

납득 못해. 화가 난다! 사타로의 유쾌하고 명랑한 웃음소리가 들렸다.

'상황이 왜 이렇게 된 거지!'

세이지는 왠지 모든 것이 마뜩찮았다. 애초에 칠요 같은 물건이 이 세상에 있는 게 잘못이라는 기분마저 들었다. 삼요처럼 깨뜨려 버리고 싶어……. 순간 세이지는 갑자기 눈을 휘둥그레 떴다.

"오, 세상에…… 아하!"

쿵, 하고 가슴속에 뭔가가 떨어지는 기분이었다.

"칠요…… 알았다, 내내 찜찜했던 것은 칠요 때문이었어!"

그 소리를 듣고 사타로와 조에몬이 둑방 위에서 세이지를 돌아다보았다.

"칠요가 왜? 그건 지금쯤 이이다야에 있을 텐데."

고참 점원 고스케에게 맡겨서 먼저 돌려보냈다고 했다.

"그래서 우리 일행이 모두 돌아간 줄 알고 전당포 측에서 창고 문을 닫았었지."

하지만 이 말을 들은 세이지는 고개를 한 번 젓고는 이렇게 충고했다.

"사타로 씨, 이이다야에 돌아가면 제일 먼저 칠요가 가게에 있는지부터 확인해야 할 겁니다."

"응? 무슨 말이지?"

이해하지 못하겠다는 표정을 짓는 사타로와 조에몬에게 세이지는 손가락 세 개를 세워 보이며, "사흘째였죠"라고 말했다.

"두 분이 창고에 갇힌 게 그저께입니다. 고스케 씨가 칠요를 들고 이이다야로 돌아갔다면 두 분이 어디에 있는지를 이이다야에서도 일찌감치 알았을 거라고 생각하지 않으세요?"

그런데도 누군가 도와주러 오기는커녕 두 사람의 행적은 오늘까지 알려지지 않고 있었다.

"아, 고스케에 대해서라면 사타로와 창고 안에서 이야기했었네. 그래서 처음에는 전당포 측에서 알아차리지 못해도 이튿날에는 이이다야에서 도와주러 달려올 거라고 생각했었네."

그러나 고참 점원 고스케는 오지 않았다.

"고스케는 오사카 사람이야. 에도는 처음이라 지리에 어둡지."

주인과 헤어져 이이다야에 돌아갔지만 전당포 위치를 몰라서 찾아오지 못했을 거라고 두 사람은 생각했다. 그러나 이 말에 세이지가 단호하게 고개를 저었다.

"고스케 씨는 어린 아이가 아닙니다. 두 분이 귀가하지 않던 날, 스미다강을 건넜다는 것, 이곳이 전당포라는 사실 정도는 기억하고 있겠죠. 아니, 고스케가 지리에 어둡다 해도 이이다야 사람들이 어떻게든 찾아냈을 겁니다."

에도 토박이인 이이다야 사람들이 고스케를 데리고 후카가와나 혼조를 돌아다녀 보면 되는 일이다. 가령 후카가와에 있는 이즈모야 같은 곳에 사정을 이야기하고 칠요를 팔 만한 가게를 함께 찾아봐도 된다.

"하지만 우리 가게에는 안주인님이 하녀와 함께 찾아왔을 뿐입니다."

도메는 그때 사타로 일행이 오사카로 돌아가 버렸을지도 모른다고 했었다…….

"오사카에? 그러니까 고스케는 우리가 혼조에 갔던 것을 도메에게 전하지 않았다는 말이군."

조에몬의 미간에 주름이 잡혔다. 사타로가 놀란 표정이 되었다.

"그럼 고스케가 혹시 이이다야에 돌아가지 않은 건가?"

세이지가 깊은 한숨을 지으며 말했다.

"고스케 씨가 칠요를 갖고 있었죠. 작은 가게를 사들일 수 있을 정도로 값비싼 물건입니다. 이게 무슨 말인지, 가게를 인수해 본 사타로 씨라면 알 수 있을 겁니다."

"아…….."

"어쩌면 고스케 씨는 아키타케야를 떠날 때 두 분이 이미 창고를 나간 것처럼 점원에게 슬쩍 흘렸을지도 모릅니다."

명백하게 말하지 않아도 된다. 가령 오늘 고마웠다, 그만 돌아가겠다는 식으로 인사하자 아키타케야 주인은 창고 2층에 아직 손님이 있다는 생각을 하지 못하고 자물쇠를 채우지 않았을까.

"만약 두 분을 잠시 창고에 가둘 수 있다면 이이다야에서는 고스케 씨도 두 분과 함께 행방불명이 되었다고 생각하겠지요. 그 틈에 칠요와 다른 골동품을 들고 멀리 도망가면 됩니다."

고스케는 이미 에도를 뜬 것이 아니냐는 말에 사타로와 조에몬은 멍한 얼굴로 우두커니 운하변에 서 있었다. 그리고 보니 에도에 오는 동안에도 소지품 두어 가지가 없어진 일이 있었다고 조에몬이 떠올렸다. 고스케는 손버릇이 나쁜 자였던 것이다.

"칠요…… 그 물건만큼은 꼭 필요한데. 돈으로 바꿀 수도 없는 것인데."

사타로가 딱한 목소리로 말했다. 세이지는 둑방에서 부는지 마는지 모를 바람을 맞고 있었다.

7

그래서 그 뒤에 어떻게 되었지?

이게 뭐야. 노테쓰, 가라쿠사. 애매하게 이야기가 끝나 버렸잖아. 칠요는 정말 사라진 거야? 자네들이 세이지와 함께 움직이고 있었으니 이 몸 쓰쿠요미에게 제대로 얘기해 보라고.

뭐야? 오오, 그럼 야마무라야의 고참 점원 고스케는 정말 이이다야로 돌아가지 않았던 건가. 칠요를 비롯해서 사타로가 구입한 물건들을 들고 어디로 사라져 버렸군.

전당포 창고에 두 사람을 가둔 거라는 세이지의 생각이 맞았다니 무서운 일이네.

고스케는 대체 언제부터 이런 음모를 꾸몄을까. 칠요가 아주 비싼 물건이라는 걸 알았을 때일까. 지금쯤 그걸 팔아서 가게를 차렸을까. 아니면 분수에 넘치는 목돈을 거머쥔 탓에 금세 탕진해 버렸을까.

응? 무슨 말이야? 네코가미를 기억하느냐고? 물론이지. 그러고 보니 세이지와 오코가 약속을 지켰군.

세이지가 오늘 시나가와로 갔거든. 네코가미를 데려오려는 거지. 이야, 정말 잘 됐어. 다시 만나는 게 기대되네.

그러고 보니 세이지는 조에몬과 이이다야를 통해 고객을 소개받기로 결심한 것 같아. 우리를 더 부려먹을 생각이라니 괘씸하군…… 하지만 돈을 벌면 부상신을 더 사들일지도 모르지. 뭐, 동료는 많을수록 좋으니 일이 늘어나도 할 수 없지. 세이지가 바빠지겠네.

응? 세이지가 요즘 기분이 좋고 활기차고 의욕이 넘치니 바빠지는 것도 괜찮다고? 그거 다행이군.

그래, 무슨 까닭이지?

아아, 사타로를 구하던 날 혼조 운하변에서는 또 다른 일이 있었다고?

궁금하네. 무슨 일인데?

칠요 이야기를 들은 사타로가 운하변에서 침묵에 빠져 있을 때 배 한 척이 운하를 따라 다가왔다.

그 배를 쳐다보던 세이지가 저도 모르게 소리를 질렀다. 그것은 세 사람이 요청한 빈 배가 아니었다. 손님이 타고 있었다.

"오코!"

그 소리에 정신이 들었는지 사타로와 조에몬도 운하로 눈길을 돌렸다. 배가 뭍에 접근하자 아직 멈추기도 전에 오코가 뭍으로 뛰어내렸다. 머리를 묶은 댕기가 흐트러져 있었다.

"위험하잖아! 뭘 그리 서둘러?"

세이지가 떨떠름한 얼굴로 쳐다보았다. 그 옆에서 사타로가 반가운 얼굴로 오코에게 다가섰다. 운하 수면에 반짝거리는 햇살처럼 밝고 기쁨에 찬 얼굴이었다.

"오코 씨, 정말 오래간만이군."

하지만. 오코가 한 말은 세이지한테만 통하는 말이었다.

"박쥐가…… 박쥐가 가게로 날아왔어."

금방 울 것 같은 얼굴로 세이지를 똑바로 쳐다보며 손에 쥔 박쥐 네쓰케를 눈높이로 쳐들어 보였다.

"그래? 노테쓰가 이즈모야로 돌아갔었군. 그래서 오코가 날 구하러 달려온 거고."

그런 약속이었다. 오코는 약속대로 세이지 곁으로 달려와 주었다. 세이지의 목소리가 떨렸다.

"와 주었구나……."

"오코 씨, 내가 돌아왔어."

사타로의 말이 세이지의 귓가를 스쳤지만 머리에 들어오지는 않았다.

위험하니까 오코는 오면 안 되는 거였다고 생각했다. 와 주어서 몹시 기쁘기는 했다. 뭔가가 북받치는 것을 느끼며 멍한 정신으로 서 있는데 오코가 화난 얼굴로 세이지를 노려보았다.

"얼마나 걱정했는지 알아!"

오코는 화가 난 듯했다.

"오코 씨, 나 사타로야."

하지만 이때만큼은 세이지도 오코가 무섭지 않았다. 오코에게 하고
싶은 말이 산더미 같았지만 왠지 말이 나오지 않았다. 무슨 말도 지금
은 어울리지 않을 것 같았다. 마침내 겨우 한 마디 입 밖에 내놓았지만
왠지 얼빠진 말이 되고 말았다.

"오코…… 미안해."

오코가 세이지의 머리를 쥐어박으려고 주먹을 쥐었다가…… 그만
두었다. 잠시 후 무엇이 우스운지 웃기 시작했다.

"저어, 오코 씨? 봉변을 당한 건 나였는데……."

옆에서 사타로가 이제는 간절한 표정으로 오코에게 말을 건넸다. 하
지만 오코는 돌아보지도 않았다.

"응? 오코 씨."

그래도 대답이 없자 사타로는 당혹스런 얼굴로 옆에 멀거니 서 있었
다. 그런 사타로를 조에몬이 옆에서 가만히 끌어당겼다.

"네 목소리는 안 들리나 보다."

숙부니까 듣기 괴로운 말도 솔직히 해 주는 거라고 하자 사타로의
두 눈꼬리가 축 처졌다.

"오코 씨에게 칠요를 건네주면서 하려고 했던 말이, 있었단 말입니

다."

그 한 마디만은 꼭 하고 싶었는데, 라고 말하는 사타로의 어깨를 조에몬이 가볍게 두드려 주었다.

"듣지도 않을 말을 해서 무엇하나."

사타로는 눈을 크게 떴다가 이내 긴 한숨을 토하며 처량하게 혼잣말을 했다.

"아, 오사카에서는 생각지도 못할 만큼 사업이 잘 되었는데. 칠요도 찾아냈는데. 왜 일이 이렇게 되었을까."

방금 전까지만 해도 모든 일이 뜻대로 되고 있었다.

"그랬는데……."

안타까워하는 사타로에게 조에몬이 위로하듯이 말했다.

"사타로, 한 가지 다행한 일이 있구나. 칠요는 고스케에게 빼앗긴 것 같지만 이젠 그 향로도 필요 없게 되었잖니."

"숙부님……."

긴 한숨 소리가 다테카와 운하변에 퍼졌지만 그 소리도 세이지와 오코에게는 들리지 않는 듯했다.

이제 궁금증이 풀렸나, 쓰쿠요미?

역시 이때만큼은 사타로가 조금 딱하지? 칠요뿐만 아니라 모처럼 구입한 머리빗과 입술연지도 건네주지 못하고 끝나버렸으니.

그런 일이 있어서인지 사타로와 조에몬은 일찌감치 오사카로 돌아가 버렸어. 그래도 사타로가 쉽게 나가떨어질 사내는 아니지. 조만간에도 가게에 불쑥 돌아와 오코 앞에 나타날 것 같기도 해.

아아, 가게 안쪽 방에서 세이지 목소리가 들리네. 요즘 제법 의젓해진 것 같아. 무가 고객까지 상대해야 하니까 애송이티를 못 벗으면 영업에 지장이 있겠지.

뭐? 오코가 곁에 있으니까 괜찮을 거라고? 흠, 그럴지도 모르지. 아마 그럴 거야. 그 편이 우리한테도 좋은 일이지.

저런, 세이지 좀 봐. 뭐가 신나서 또 이름을 부르네.

"오코, 거기 있어?"

저기 좀 봐, 오코가 바쁘게 안쪽 방으로 가잖아. 오늘도 가게가 바쁠 모양이군.

아, 날씨 참 좋네.

편집 후기

한동안 『샤바케』에 푹 빠져 지냈다. 벌써 10년도 훨씬 더 전의 일이다. 당시만 해도 귀여운 요괴들이 잔뜩 등장하는 소설을 구경하기란 쉬운 일이 아니었다. 대개의 요괴들은 기괴하거나 시시했다. 에도 시대를 배경으로 삼았다는 점도 마음에 들었다. 시리즈를 읽는 내내 '역사에 해박하고 유머 감각이 풍부한 작가로구나' 싶어 감탄했던 기억이 난다. 그러다가 최근에 하타케나카 메구미의 인터뷰를 읽고 몇 가지 흥미로운 사실을 알게 되었다. 우선 작가의 전직이 만화가였다는 점이다. 만화가로 데뷔했지만 생계를 걱정하지 않을 수 없을 만큼 벌이는 시원치 않았다고 한다. 만화를 그리는 틈틈이 일러스트레이터 일을 부업으로 했을 정도였다. 소설가 쓰즈키 미치오가 운영하는 강좌를 듣게 된 것은 우연이었다. 소설가가 되고 싶었다기보다, 좋아하는 쓰즈키 미치오를 직접 볼 수 있겠다는 기대에 강좌를 신청했단다. 한 달에 두 번, 자유롭게 소설을 써서 제출하면 작가가 첨삭 지도를 해 주는 패턴으로 강좌는 진행되었다. 그녀는 강사의 칭찬이 듣고 싶어서 무려 8년 동안이나 꾸준히 소설을 써서 제출했다. 만화가 일을 병행하며 8년이나 소설 강좌를 다녔다니 성실함이라고 할지 집요함만큼은 인정해 주고 싶다. 쓰즈키 미치오 작가는 칭찬에 인색했지만 덕분에 한 글자 한 문장을 고집 있게 쓰는 것의 소중함을 배울 수 있었다고 한다. 소설가로서 갖춰야 할 기본적인 소양 외에도 편집자와 소통하는 방법이나 문학상에 응모할 때의 요령을 알게 된 것은 큰 수확이었다. 그리하여 마침내 탈고한 첫 번째 장편소설이자 처음 응모한 공모전에서 하타케나카 메구미는 '일본 판타지노벨대상 우수상'을 거머쥐며 단숨에 인기작가로 부상한다. "에도에 관한 책을 열심히 읽으며 습작 시절에도 써 본 적 없는 시대소설에 도전했지만 이런 걸 과연 독자들이 좋아할까"라는 의구심에 시달렸다는 작가의 소회가 무색할 만큼 『샤바케』는 폭발적인 인기를 끌며 누계 800만부라는 경이적인 스코어를 기록했다. TV 드라마와 뮤지컬로도 제작되어 주인공뿐만 아니라 각 요괴 캐릭터들의 코어팬까지 생겼다고 한다.

데뷔 후에도 에도 시대에 관한 공부를 게을리하지 않았던 작가는 어느 날 개인은 물론 유곽이나 가게 등에 이불부터 훈도시까지 무엇이든 빌려주는 에도 특유의 대여점이 존재했다는 걸 알게 되었고 "대여점의 품목에 부상신이 깃들어 있어서 빌려준다면 재미있지 않을까" 하는 상상을 덧대어 요괴 대여점 시리즈의 첫 번째 소설인 『요괴를 빌려드립니다』를 발표한다. 이번에는 『샤바케』의 세계관이나 캐릭터와 겹치지 않도록 쓰는 것이 힘들었는데, 『샤바케』가 주인공 이치타로의 부탁이라면 뭐든 전적으로 협조해 주는 요괴들이 등장하는 반면 『요괴를 빌려드립니다』의 부상신들은 인간과 요괴 사이에 일정한 선을 긋고 있다는 점이 고민의 결과물이라 하겠다. 후자의 거리감은 이야기에 긴장감을 조성하는 동시에 만화적 웃음 포인트이기도 하다. 동명의 제목으로 일본에서 2010년 6월에 처음 출간된 요괴 대여점 시리즈는 『요괴가 놀아드립니다』(2016년 4월 23일 출간)에서 세이지의 아들인 도야+夜와 친구들이 부상신과 놀면서 승부를 겨루는 내용으로 전개되는가 하면 『요괴가 풀어드립니다』(2019년 1월 10일 출간)에서는 오래된 병풍에 빨려 들어가 타임리프를 하기도 하고 저택의 유령 퇴치에 끌려가는 등 스케일이 점점 커질 전망이다. 일단은 뒷이야기가 있다니 다행이라고 할까. "독서 후의 기분 좋은 감각이야말로 하타케나카 메구미 작품의 묘미라고 생각하는데 요괴 대여점 시리즈도 『샤바케』처럼 긴 시리즈화를 부탁한다"는 가도카와 출판사의 견해에 전적으로 동의하며 본사도 속편의 출간을 서두를 테니 기대해 주시길.

오랜만에 귀여운 요괴들을 만나 즐거운,
마포 김 사장 드림.

요괴를
빌려
드립니다

초판 1쇄 발행 2019년 5월 31일

지은이　　하타케나카 메구미
옮긴이　　이규원

　　　　발행편집인　김홍민 · 최내현
　　　　책임편집　　조미희
　　　　표지디자인　형태와내용사이
　　　　용지　　　　한승
　　　　출력(CTP)　블루엔
　　　　인쇄 제본　 현문

펴낸곳　　도서출판 북스피어
출판등록　2005년 6월 18일 제105-90-91700호
주소　　　(03961) 서울특별시 마포구 방울내로 11길 43 101-902
전화　　　02) 518-0427
팩스　　　02) 701-0428
홈페이지　www.booksfear.com
전자우편　editor@booksfear.com

　　　ISBN 978-89-98791-79-7 (04830)
　　　　　　978-89-98791-25-4 (세트)